ESSAI

SUR LA

LIBERTÉ

DE

PRODUIRE ses SENTIMENS.

Il faut avouer que ce ne sont pas tant les préjugés de l'Esprit, que les illusions du Coeur, & la tirannie établie dans le monde au Sujet des Sentimens, qui forment des grands obstacles à l'étude serieuse de la morale, & à une connoissance exacte de nos devoirs. BARBEIRAC *Préf. à Puf. Dr. de la N. & des G.*

AU PAYS LIBRE,

Pour LE BIEN PUBLIC. 1749.

Avec Privilége de tous les véritables Philosophes.

À
LA
NATION ANGLOISE.

C'EST à toi, Peuple véritablement libre, que je veux confacrer un petit Ouvrage, qui a la plus belle partie de la liberté de l'Homme pour objet. De tous les peuples du monde, vous êtes peut-être le feul qui en jouïffez parfaitement. Si votre liberté civile vous fait honneur, celle-là vous rend bien plus eftimable encore. Sans elle tous ces COLLINS, ces CLARKS,

ces

DÉDICACE.

ces ROBINS, ces NEWTONS, ces BENTLEYS, ces LOCKES, & une infinité d'autres n'auroient peut-être été que des Savans ordinaires. La timidité ne vous arrête pas en beau chemin, & la crainte ne vous empêche pas fur les conféquences. On ne connoit pas chez vous un rage de forcer la perfuafion: on n'y voit pas un DES CARTES profcrit & un BAYLE fans appui. Peuple heureux! Qu'on vous admire: qu'on fe contente de Vous imiter!

QUE les esprits les plus hardis

&

DÉDICACE.

& les plus pénétrans, que rien n'effraie, qui ofent devoiler leurs Sentimens & les produire, ramaffent tout ce qu'il y a de plus fort: qu'ils uniffent à la plus fubtile Logique, les expériences les plus parlantes, le genie le plus fublime, l'élegance & la force de s'énoncer, qu'ils réuniffent tout ce qu'il faut pour rendre leurs fentimens inébranlables & forcer l'affentiment des autres : qu'ils me menent aux bords redoutés du Spinozisme ; qu'ils me faffent fentir la néceffité abfoluë des caufes & de leurs effets ; qu'ils m'embrouillent

* 3   com-

DÉDICACE.

comme un Dedale dans le con-
cours des Atomes; que le meilleur monde m'offre une mer de
difficultés, & que le Sceptique me
conduife de doute en doute, loin
de les haïr, je fuivrai votre exemple, tous les grands Génies feront
mes Amis; & ne craignant point
de trouver la Vérité dans mes adverfaires, ma perfuafion tombera
du côté le plus fort, & mon a-
mour pour le vrai ne me fera jamais balancer à rendre les armes,
& à vous reconnoître pour les Pro-
tecteurs de la Vérité.

PRÉ-

PRÉFACE.

UELQUES *circonstances*
m'ont empêché de mettre
cet essai dans un meilleur
ordre.

J'AI *jetté mes idées sur le pa-*
pier; je les ai ramassées; & je les
ai envoïées tout de suite à l'Im-
primeur, ou plutôt à un Ami qui
a eu soin de l'édition. De là les
négligences tant pour le Stile, que
pour la connection des Raisonne-
mens.

SI *le public approuve cet essai,*
par un empressement, dont l'objet
de cet Ouvrage est susceptible, je
m'emploirai volontiers à le perfe-
ctionner & à le mettre dans un
meilleur ordre. Qu'il me soit permis
de remarquer ici en passant, que
peut-être aucune matière ne meri-
te

PRÉFACE.

té plus d'étre traitée à fond, & que peut-étre aucune n'a été plus négligée.

Si l'on trouve par ci par là quelques traits mordants, il n'en faut accuſer qu'une franchiſe, incapable de rien déguiſer. Ce n'eſt ni par haine, ni par animoſité, ni par aucun mauvais principe, qu'ils ont été lancés. L'Amour du vrai, de la liberté, & le bien de la Société les ont arrachés à une plume, qui n'a été conduite que par ces motifs.

ES-

ESSAI

SUR

LA LIBERTÉ

DE

PRODUIRE sès SENTIMENS.

AVANT-PROPOS.

SI POMPÉE ne pouvoit souf-frir d'égal, ni CÉZAR de Su-périeur, n'en est-il pas de même de tous les Hommes, & du plus grand au plus petit ne pré-

A ten-

tendent-ils pas tous à une certaine fupériorité les uns fur les autres. La gra-
dation des Inférieurs aux Supérieurs
n'eft pas moins infenfible parmi eux,
que dans les Règnes phyfiques. Nous
ne contemplons nos propres facultés
que par des microscopes & celles des
autres par des verres concaves. Eft-il
donc furprenant que notre Imagination
hauffe tant le prix de celles-là & qu'elle baiffe la valeur de celles-ci d'une manière fi outrée. Eft-il étonnant que chaque homme en fon particulier s'eftime
plus qu'il n'eft eftimable, & beaucoup
plus qu'il n'eft eftimé.

L'Amour propre guide notre jugement. Il arrive que les qualités d'autrui influent fur les nôtres, de manière
que les notres s'emblent s'élever à mefure que celles-là croiffent, & bais-
fer à mefure que celles-là decroiffent.
Notre vanité raproche alors les ob-
jets en faifant paffer légèrement la vue
fur leurs defauts & l'attachant uniquement à ce qu'il y a de bon : ou bien il
les lui fait confidérer à rebours, de manière que la vue apperçoit toujours les
qua-

qualités dans une raifon inverfe, pour me fervir d'une expreſſion naturelle aux Mathématiciens.

ENCORE n'y auroit-il pas grand mal, ſi les Hommes pouvoient ſe contenter de leur imagination, & ſe repofer mollément ſur l'idée d'une chimerique fupériorité : mais non. La fureur de vouloir faire fentir aux autres ſon empire, & cette douce fatisfaction de voir remper ſes Semblables, ne leur permet pas de manquer aux occafions qui peuvent les en faire jouïr.

DE là ce defir de commander, de contraindre, d'aſſujettir même ceux, qui peut-être auroient plus de droit ſur nous que nous ſur eux, & qui ne manquent que de pouvoir pour faire fouffrir aux autres, ce qu'ils doivent fuporter.

ON a vu de tous tems que cette paſſion contre la liberté de ſes Semblables ne connoît point de bornes, & qu'elle ſe porte ſur tout ce qui en eſt fuſceptible. Si l'on pouvoit ne l'étendroit-on pas même ſur la façon de penfer? N'eſtce pas avec une efpèce de chagrin

qu'on voit porter un jugement différent du nôtre? Et si la chose étoit pos-
sible, les plus forts manqueroient-ils de
forcer l'assentiment des plus foibles?

EN faut-il des preuves? Quels effets ne produit pas l'autorité Scholasti-
que? Voïez ce disciple. Avec quelle
avidité écoute-t-il son maître. C'est
un Oracle, dont les paroles reçues comme autant de vérités lui doivent servir
de règles; règles dont il ne pourra s'é-
carter sans être declaré indigne des Le-
çons qu'il a reçues & taxé d'ingratitude. Considérez ce Philosophe, plon-
gé dans les plus profondes méditations;
quels écueils ne l'environnent pas? Il
est perdu sans ressource si ce qu'il trouve, si ce qu'il pense, si ce qu'il croit
vrai ne s'accorde pas avec les idées,
que dis-je? avec le jargon d'un Système reçu. Quel courage pour oser s'y
opposer, & quelle grandeur d'ame d'o-
ser s'y jetter pour l'amour de la Vérité. Ce n'est qu'aux Esprits hardis &
supérieurs qu'il est donné de rechercher la Vérité, de la trouver & de la
faire connoître. Ce ne sont qu'eux qui
mé-

méritent l'attention, l'eſtime, & la re-
connoiſſance de leurs Semblables.

Je l'avoue, l'empire ſur les idées,
malgré tous les efforts qu'on fait pour
l'obtenir, eſt entièrement impoſſible,
& l'on ne doit pas s'étonner qu'on accorde de ſi bon coeur la liberté de penſer? Mais comment l'accorde-t-on bon
Dieu! En emploïant tous les moïens
qui peuvent ſervir à la limiter. Où ſont
ceux, qui ne craignent de trouver par
leurs meditations de quoi ſe rendre o-
dieux? Qui eſt-ce qui n'appréhende de
trouver des vérités, dont la decouverte
entrainera ou bien un lache deguiſe-
ment, ou bien un aveu qui le rendra
miſérable? Cependant combien des idées
ne ſont pas rendues ſujettes à ces pe-
rils, par des declamations animées, par
des pourſuites auſſi inhumaines qu'injuſtes, & qui ne peuvent tirer leur ſource que d'une malitieuſe ignorance?

Ceux donc, qui oſent attenter à ce
que le genre humain doit avoir de plus
chèr, la liberté de penſer; qui ne la
laiſſent qu'à ceux, ſur qui tous les efforts ſont vains & qui ont aſſez de cou-

rage pour fe mettre au-deffus de ces laches tentatives, ceux-là, dis-je, peuvent-ils fe glorifier de la laiffer aux autres, & ne meritent-ils pas la haine & le mepris de tout ce qui refpire?

CAR quel vernis coucher fur une conduite fi baffe & fi contraire à la nature d'Etres intelligens? Si l'Etre fuprême m'a doué de la faculté de penfer, eft-ce pour l'accommoder à celle des autres? Eft-ce pour examiner les idées de mes femblables, pour pouffer les miennes, ou pour les foumettre aveuglement aux leurs? Si je dois m'en fervir pour voir ce que je fuis, où je fuis, & ce que je puis devenir, s'il m'importe de le favoir, & fi je dois le rechercher, quelle plus grande injuftice que de m'empêcher de fuivre ce que mon intérêt & mon devoir exigent également de moi?

MAIS fi on eft obligé de laiffer aux grands Génies une pleine liberté de penfer, *l'esprit de domination* tombe à plomb fur celle de produire fes fentimens. C'eft fur elle que la Tyrannie peut porter fes Coups, & c'eft elle auffi, qui n'échape pe pas à fa fureur. Malheur à ceux qui produifent leurs idées, & qui n'ont pas en même tems la force en main pour les foutenir, fi ces idées font au-deffus des vulgaires, ou qu'elles en diffèrent un peu. Ils font perdus, fi ces idées font oppofées à celles, que la fuperftition a eu l'adreffe de glifter dans l'esprit du public.

CE n'eft pas que je veuille desavouer ici tout droit de fupériorité & d'empire. Je fens au contraire tout ce que les Moraliftes ont dit fur ce fujet. La fujettion étant inféparable du bonheur des Créatures, elle eft par là auffi abfolument néceffaire. Sans m'arreter aux chimères que les Moraliftes arrachent à leurs cerveaux, pour ôter la liberté à l'Homme, je conviens de bon coeur, qu'il eft auffi impoffible que les Créatures jouïffent d'une pleine liberté, qu'il eft impoffible que 3 fois 3 font 8.

MAIS s'il eft néceffaire que la liberté de l'Homme foit bornée, cette limitation n'eft-elle pas elle-même fujette à des bornes, dont le mepris ne peut qu'entrainer le malheur de ces mêmes

A 4   Créa-

Créatures. J'en laiſſe la deciſion aux Scrutateurs du Droit Naturel. Qu'ils en poſent les juſtes limites. Je me contenterai ici de rechercher uniquement, ſi la liberté de produire ſes Sentimens peut être limitée de droit, ou être ôtée tout-à-fait à l'homme.

CHA-

CHAPITRE I.

Si naturellement les uns peuvent avoir sur les autres le droit de limiter la production des Sentimens.

J'ENTENDS par *produire ses Sentimens*, *l'action des Hommes*, *par laquelle ils instruisent les autres de leurs idées sur certaines Propositions*. Des Romans, des Libelles, & autres productions de cette nature n'entrent pas dans le but de cet ouvrage. Je veux rechercher si on peut legitimément empêcher des Créatures raisonnables, tels que sont les hommes, de dire, de communiquer aux autres, soit par écrit, soit d'une autre manière, ce qu'ils pensent sur certaines propositions, de quelque nature qu'elles puissent être.

IL est prouvé que les Hommes sont

ob-

obligés, non seulement par leur propre nature, mais en conséquence de la
volonté divine, de concourir au bien
du Tout, & de rechercher leur propre
bonheur, autant que le peuvent permettre celui de leur prochain en particulier, & celui de la Société en général.

DE là il resulteroit qu'abstraction
faite de tout état d'empire, & de l'obé-
issance qu'on doit à un Souverain; ou
bien, qu'en considérant les Hommes
par raport aux actions, sur lesquelles
le Souverain n'a rien determiné, il en
resulteroit, dis-je, que la liberté de
l'Homme se trouvant originairement limitée sur tout ce qui peut nuire, il ne
lui seroit pas permis de produire des
Sentimens nuisibles à la Société. On
voit d'avance que je ne veux point me
prevaloir des faux Raisonnemens d'un
HOBBES, & de tant d'autres, qui traitent toutes les Vertus de Chimères ; &
que je veux traiter cette question sur
les principes les plus purs, & sur les
fondemens les plus raisonnables du Droit
Naturel.

IL

Il est facile de dire que l'Homme
doit conformer son bonheur à celui de
la Société; qu'il ne doit pas, en le re-
cherchant, tendre à un bonheur, qui
entraine avec soi un plus grand malheur soit pour lui, soit pour son Prochain, soit pour la Société dont il est
membre, soit enfin pour tout le Genre
Humain. Il est facile de dire & de
prouver que la liberté de l'Homme se
trouve, tant par la nature de l'Univers,
que par celui qui l'a créé, limitée sur
tout ce qui est nuisible à la Société.
Mais comment determiner ce qui est
nuisible à la Société? Par quoi pouvons-nous decouvrir ce qui avance le
bien public, ou ce qui lui fait tort?
Par quelles voïes pouvons-nous parvenir à cette connoissance, si nécessaire, pour pouvoir y conformer nos dé-
sirs & nos actions. L'Etre, qui nous a
créé, a-t-il créé en même tems des
Personnes qui nous l'indiqueroient à
chaque moment que nous devons flechir notre volonté; tandis que notre
vie n'est qu'un changement continuel
d'état, qui depend uniquement de notre

tre volonté & de ce qui la fait aller
de ce côté-ci ou de ce côté-là ? Non:
ce n'eft pas ainfi que le Créateur a voulu que nous fuffions determinés. Il
nous a donné l'intelligence, par laquelle nous pouvons juger nous-mêmes de
ce qui nous convient ou ne convient
pas; de ce qui peut nuire à notre Prochain ou lui faire du bien ; & de ce
qui peut contribuer au bien de l'Univers ou lui être nuifible.

Dieu veut le bien du Tout, & que
notre intelligence nous guide & nous
mène fur la recherche de ce qui peut
nous conduire à ce but. Or comme
ce devoir eft un devoir général pour
tous les Hommes , tous les Hommes
feront tenus, & auront en conféquence
le droit de rechercher ce qui contribue
à ce bien; d'où il refulte évidemment
que la production des Sentimens à cet
égard ne peut pas être limitée, puisque
les Sentimens des uns fervent de fondement à ceux des autres. J'ai donc,
entant qu'Etre raifonnable, le droit de
rechercher fi la liberté de produire fes
Sentimens eft nuifible à la Société ou
non;

non; & ce droit eft foutenu par mon devoir. Que les Crieurs ne fe formalifent donc pas de cet Effai.

De plus, felon les Principes de la bonne morale, chacun doit fuivre fa propre perfuafion, & même les mouvemens d'une confcience erronée, comme Mr. Barbeirac l'a très bien remarqué *. Il refulte de là, que la liberté de produire fes Sentimens ne fe trouve pas originairement, & relativement aux Hommes, limitée fur ceux qui font nuifibles à la Société, mais fur ceux qu'ils jugent tels. De manière que l'Homme a le droit de produire des Sentimens, qu'il juge non-nuifibles, & qu'il ne l'a pas dans le cas oppofé. C'eft donc la perfuafion dans laquelle fe trouvent ceux qui produifent leurs

Sen-

---

* *Dev. de l'Homm. & du Citoïen par* Puf. L. 1. Ch. 1. §. 5. n. 1.

On peut deduire cette même vérité immédiatement de la nature de l'intelligence, Dieu aïant voulu qu'elle nous guidât & nous determinât; c'eft-à-dire, que nous fiffions ce que nous jugerions repondre à fa Volonté.

Sentimens, qui feule decide fur ce point.

Il fuit de là avec toute l'évidence poffible, que naturellement les uns ne peuvent avoir le droit de brider ou de limiter la liberté des autres à cet égard, à moins qu'ils ne foient perfuadés & convaincus, que les autres agiffent contre les mouvemens de leur confcience. Mais comment s'en perfuader que par l'aveu des derniers? C'eft une impoffibilité manifefte. D'ailleurs il feroit égal en ce cas-là que les Sentimens fuffent réellement nuifibles ou non; puifque l'intention feule de nuire fait les coupables; & non pas leurs Sentimens confidérés en eux-mêmes. Ainfi il fera decidé fur ce point de morale, comme fur tous les autres, qu'on ne pourra agir contre ces Perfonnes, qu'autant qu'on pourra les convaincre de malice, de mauvaife volonté, &c.; c'eft-à-dire, qu'on ne pourra pas defendre la production de tels ou tels Sentimens, mais feulement empêcher que telles ou telles Perfonnes, qui auront été convaincues de produire leurs Sentimens
pour

pour nuire au Public, ne les repandent dans la fuite.

L'OBLIGATION dans laquelle tout homme fe trouve, & le droit qui en refulte pour chaque Homme, prouvent donc que la liberté de produire fes Sentimens ne peut être limitée. Mais pour mettre cette vérité dans tout fon jour, & pour convaincre tous nos Adverfaires de la vérité de cette propofition ; ajoutons à ces demonftrations quelques autres, qui toutes ne manquent pas de force ni d'évidence.

LA liberté de produire fes Sentimens fe trouvant par l'ordre de la Nature, par la volonté du Créateur, feulement limitée fur ceux que l'on juge, que l'on croit nuifibles à la Société, il eft évident encore, qu'il faudroit, avant qu'on pût empêcher la production de certains Sentimens, qu'ils fuffent démontrés être effectivement tels qu'on les declare ; car pour pouvoir jouïr du droit d'empêcher la production de quelque Sentiment, il faut qu'on foit perfuadé que ce Sentiment eft nuifible: pour en être perfuadé, il faut en être inftruit ; & pour en

être

être instruit il faut que la nuisibilité de ce Sentiment soit prouvée ; sans quoi la persuasion n'a aucun fondement, & ne merite pas ce nom ; & sans persuasion fondée nul droit legitime.

AINSI donc pour qu'on pût avoir le droit d'empêcher la production d'un Sentiment, il faudroit qu'il fut prouvé, que ce Sentiment nuira à la Société : mais comme toute demonstration ne merite ce titre qu'après que tout ce qu'on y oppose a été refuté, il suit que la liberté de produire ses Sentimens ne peut jamais être limitée sur ceux, qui ont ces demonstrations ou l'utilité publique pour objet, comme nous l'avons prouvé d'une autre manière ci-dessus.

POUR pouvoir donc empêcher quelqu'un de produire certains Sentimens, il faudroit qu'on fut intimément persuadé que ces Sentimens sont nuisibles, que cette persuasion fût fondée, & qu'on accordât une liberté entière sur l'examen de cette persuasion. Et alors encore ce ne seroit que le plus fort qui pouroit faire valoir sa persuasion, puisqu'en fait de jugement & des opérations

tions de l'esprit la raison ne suit pas jus-
tement le corps le plus nerveux, ou les
plus nombreuses armées , & que les
plus foibles auroient tout comme les
plus forts, un droit égal sur la suppres-
sion des sentimens de leurs adversaires.
On le voit assez dans les différens états
qui composent notre Globe politique.
Mahomet a le même droit sur les
Chrétiens, que les Chrétiens sur les Ma-
hometans : les uns & les autres sont
obligés de suivre les mouvemens de
leur conscience erronée.

Comme donc ce droit ne depend u-
niquement que de la supériorité en forces, & cette supériorité n'en donnant
point de réel, selon les meilleurs Mora-
listes, il suit tout uniment, que ni les uns
ni les autres ne peuvent avoir le droit
de limiter la production des Sentimens.

Voici un autre argument encore.
Si le bien public demande la recherche & la decouverte de la vérité, tous
les hommes ont non-seulement le droit
de la rechercher , mais ils y sont obligés, selon les circonstances dans lesquelles ils se trouvent. Qui niera que

B   le

le bien public ne demande la recherche
& la decouverte de la Vérité. Tous
les hommes font donc en droit & obligés de la rechercher : mais comme
cette recherche ne peut fe faire fans favoir les Sentimens qui combattent les
nôtres, il eft de la dernière évidence
qu'on ne doit pas ôter aux Hommes les
moïens de connoître ceux des autres ;
& de là qu'il ne faut pas reftraindre leur
liberté fur la production des Sentimens.
Cette obligation étant corrélative, ce
raifonnement prouve qu'il faut laiffer à
chacun la liberté de produire fes Sentimens, tant parce qu'ils ont le droit de
les produire, que parce que nous fommes obligés de les connoître.

Voïons ce qui réfulte de toutes
ces demonftrations & fi nous ne pouvons pas y ajouter de la force encore
en raifonnant d'une manière moins
fcholaftique. Il eft bon de varier, fur-
tout dans un ouvrage auffi fec que l'eft
celui-ci.

Nôs preuves font fondées fur l'exiftence d'un Etre fuprème, & fur les
principes moraux qui en decoulent. Elles

les ne font donc évidentes que pour ceux qui admettent cette exiftence, & il en eft de même de toutes les autres demonftrations, qui roulent fur les obligations, auxquelles l'homme eft fujet.

Puisque ce n'eft donc qu'en vertu de ces principes, que la liberté de produire fes Sentimens fe trouve originairement limitée fur tout ce qui peut nuire : la queftion eft de favoir, fi cette même reftriction peut avoir lieu auffi pour ceux, qui nient cette exiftence, & qui traitent toutes les vertus de chimères. N'allons pas, à l'exemple de tant de faux frères, déclamer contre ces gens-là, & contentons-nous de les plaindre, en leur rendant toute la juftice qui leur eft duë.

Nier l'exiftence d'un Etre fuprème, & reconnoître des devoirs, c'eft fe contredire foi-même. Ne point reconnoître des devoirs, & vouloir limiter la liberté, ce n'eft pas moins fe contredire. D'où il refulte, que l'Athée pourra prétendre à une pleine liberté de produire **fes Sentimens,** & qu'il devra la laiffer

auffi

auſſi aux autres. La queſtion ſera donc
de ſavoir, ſi ceux, qui ne ſont pas A-
thées, peuvent prétendre à limiter cette liberté de ceux, qui le ſont. Rai-
ſonnons ſur les principes de ceux, qui
ne le ſont pas, & qui admettent tout ce
qu'il y a de meilleur en morale.

Puisque les hommes ſont tenus de
ſuivre les mouvemens de leur conſcience, ou d'agir en conſéquence de leur
perſuaſion ſur l'utile & le non-utile de la
Société; il faudra, que l'Athée produiſe ſes Sentimens, dès qu'il croit, qu'ils
peuvent être de quelque utilité; &,
par conſequent, les autres n'ont aucun
droit, de limiter ſa liberté à cet égard:
cette démonſtration eſt toute ſimple.

Il ſuit donc de là, que c'eſt l'injure
la plus manifeſte, qu'on fait aux Athées,
que de reſtreindre leur liberté ſur la
production de leurs Sentimens; & ce
que nous venons de prouver, découle
ſi évidemment de tout ce qu'on a donné de meilleur ſur les fondemens du
Droit Naturel, qu'il eſt étonnant, qu'on
s'aveugle au point que de méconnoître
une vérité ſi claire & ſi évidente; &
que

que même des gens d'esprit fe laiſſent
tellement entrainer par leurs paſſions,
jusqu'à dechirer impitoiablement les auteurs auſſi bien que leurs écrits. Ajoutons encore d'autres raiſonnemens.

JE prouve, qu'originairement les
hommes font tenus à ce qui peut contribuer au bien du Tout: mais ce devoir eſt déduit de l'exiſtence d'un Etre
ſuprème. Celui donc, qui nie cette
exiſtence, nie par conſequent ce devoir. Qui a raiſon? lui, ou moi? Nous
y prétendons tous deux; mais comme
la conviction n'eſt pas ſuſceptible de
tyrannie, & que d'ailleurs, tant que
cette exiſtence peut être miſe en doute, on ne peut pas prétendre à quelque
ſupériorité; il eſt clair, que nous n'a-
vons aucun droit de prétendre, que
l'Athée fe taiſe, & nous laiſſe jaſer. De
plus, comme par raport à lui, il n'eſt
pas plus prouvé, qu'il fe trompe, que
moi; puisque la liaiſon de ſes idées peut
être auſſi juſte, que la mienne; ou qu'il
voit quelque liaiſon, ou quelque contradiction, que nous n'appercevons
pas: il eſt clair, dis-je, que l'Athée

B 3   peut

peut auffi bien prétendre à la fupériorité fur cet article, que tout autre. Qui
condamneroit une perfonne, qui ne ver-
roit point la liaifon néceffaire entre les
propofitions d'Euclide, & celles d'Ar-
chimède? & comment peut-on prétendre, qu'elle y donne fon affentiment, tant qu'elle ne la voit pas? Comment encore peut-on être perfuadé,
qu'un Athée apperçoit la liaifon, qui
nous faute aux yeux; & fur quel fond
le blame-t-on? N'a-t-on pas vû des argumens, produits pour l'exiftence d'u-
ne Divinité, qui, après avoir paffé
quelque tems pour évidens, ont cependant été trouvés après cela foibles &
fans force. Je n'en veux pour exemple que l'argument qu'on nomme *a prio-
ri*, & que DES CARTES a donné le
prémier. N'en a-t-on pas démontré
la foibleffe; &, malgré le tour, que
Mr. LEIBNITZ y a donné, n'eft-il
pas combattu encore, de manière, que
les uns font perfuadés de fa force, &
les autres de fa foibleffe? Et plufieurs
bons Métaphyficiens n'avouent-ils pas,
que l'exiftence d'une divinité n'a été

por-

portée qu'au plus grand dégré de pro-
babilité? Suppofons pour un moment,
que l'exiftence de la Divinité nous paroiffe auffi évidente, que la plus fimple propofition d'Euclide, comme j'a-
vouë, quelle me le femble, par l'argument deduit de l'immutabilité, s'en-
fuit-il de là, qu'un autre y doive trouver la même évidence? Cela eft fi peu
vrai, que ceux, qui ne font pas en état
de comprendre les fubtils argumens,
qu'on produit fur cette matière, ne peuvent, quoi qu'on dife, être pleinement
convaincus. Si on pouvoit voir & examiner la perfuafion des perfonnes,
combien de perfuafions chancelantes ne
trouverions-nous pas? Or, puisque l'é-
vidence eft plus ou moins grande, felon les circonftances, où les Esprits fe
trouvent; il fuit de là, que nous ne
pouvons jamais prétendre, qu'un autre donne fon affentiment à une propofition, quelque évidente qu'elle nous
paroiffe; à moins que nous ne foïons
affurés, qu'il y trouve la même évidence, que nous y trouvons, & cette même évidence qui nous oblige à donner

no-

notre aſſentiment. Mais comment ſe convaincre, qu'un autre trouve la même évidence dans une propoſition, que nous y reconnoiſſons? Tout au plus donc, ſi les propoſitions ſont d'une évidence à ſaiſir l'eſprit ſur la prémière impreſſion, pourra-t-on accuſer une telle perſonne de ſtupidité, & l'en plaindre. Ceux, qui admettent l'exiſtence d'un Etre ſuprème, & par là les principes de morale, qui en découlent, ſont tenus, par ces mêmes principes d'eſtimer ces perſonnes, qui ne donnent leur aſſentiment, qu'à ce qui leur paroit évident, & doivent même, bien loin de les dechirer à belles dents, rechercher tout ce qui peut gagner l'eſprit, & les convaincre d'une vérité, qui leur ſemble de la dernière conſéquence. C'eſt par ces mêmes principes, qu'on peut prouver, qu'ils ne doivent jamais voir de mauvais oeil, que l'autre produiſe ce qui à ſon tour lui ſemble détruire cette évidence-là.

Supposons maintenant, pour changer un peu de batterie, en donnant un argument également applicable à la pré-

cé-

cédente queſtion, que ce ne ſoit pas un
Athée, mais un autre homme, qui re-
connoiſſe l'exiſtence de Dieu, mais qui
ne voit pas la liaiſon, que cette exiſtence a avec les principes de morale,
que nous en déduiſons. Toute évidente que cette liaiſon nous paroiſſe; toute évidente qu'elle eſt peut-être; il eſt
cependant très certain, que tant qu'on
peut y oppoſer des raiſonnemens, qui
ſemblent la détruire, & qui paroiſſent
à leur tour du moins auſſi évidentes à
ces gens-là, que le contraire aux autres; il eſt cependant, dis-je, très certain, qu'il eſt de notre devoir d'écouter ce qu'ils peuvent nous alleguer, pour
juger de l'évidence de leurs argumens;
& que, ſi nous manquons à ce devoir,
ce n'eſt que pure preſomption, qui
nous empêchera d'être perſuadés, comme un Etre raiſonnable doit l'être. Je
ſuis perſuadé, que les trois angles d'un
triangle ſont égaux à deux droits. Toute évidente qu'eſt chez moi cette propoſition, ſi quelqu'un m'affirmoit avoir
des argumens, qui détruiſiſſent cette
vérité, je demande, ſi en conſcience

je pourrois dire être pleinement perfuadé, tant que je n'aurois pas vû la faus-
feté de ces argumens. Il fuit donc de
là, qu'on ne pourra pas fe glorifier de
la perfuafion des plus importantes vérités, tant qu'on défendra aux Athées,
aux Efprits forts, & autres gens de cette trempe, de remuer la plume, & que
même le peuple ne pourra que douter
tant qu'il verra la plume bridée. Et
par la raifon du contraire il eft évident
qu'on pourra fe vanter d'avoir la raifon
& la vérité de fon côté, d'abord qu'on
leur accordera une pleine liberté à cet
égard. La foiblefſe de leurs argumens
mettra la force des notres dans un plus
grand jour & les rendra auffi fûrs qu'inébranlables. D'où il refultera encore,
que tout comme nous fentons notre fupériorité en découvrant la foiblefſe de
notre ennemi, le peuple fera plus fer-
me & plus affuré fur les dogmes, qu'on
lui enfeigne, & y repofera avec plus
de confiance.

Puis-je, pour revenir fur mes pas,
puis-je, parceque mes raifonnemens me
paroiffent plus évidens, que ceux de
mon

mon adverfaire prévaloir par là ; & fe-ra-ce une raifon, qui le mettra dans le tort, & dans l'obligation de fuivre mes idées ? Quel eft l'infenfé qui l'affirme ? Et l'Athée n'aura-t-il pas ici le même droit fur moi, que je pretens avoir fur lui ? Il faut être fincère, & ne rien déguifer en fait de Philofophie. Cette raifon eft fi forte, que même les Théologiens Re-formés s'en fervent, pour prouver con-tre ceux de l'Eglife Romaine, qu'il eft impoffible, qu'ils foient perfuadés d'a-voir droit de contrainte fur les confcien-ces.

ENTRE autres queftions, qu'on agi-té dans le Droit Naturel, fe trouve cel-le, s'il eft permis à un Homme d'avoir plufieurs Femmes. On demande fi la Polygamie eft naturellement permife ou non ? Je tiens pour la negative.

SUPPOSANT donc mes preuves con-tre la Polygamie évidentes dans mon efprit (& j'avouë, que chez moi elles le font auffi), & celles de mes adver-faires ridicules : pourrai-je prétendre au droit d'affujettir fon affentiment au mien, & de limiter fa liberté fur ce fu-jet ?

jet? Non, fans doute. Mon adverfaire pourra également prétendre à ce
droit fur moi, puisque, dans fon esprit, mes raifons peuvent paroître fort
ridicules, & les fiennes fort fenfées &
évidentes. Ce n'eft pas une fuppofition
à la légère. Un de mes amis & moi
fommes dans le cas. Ces mêmes raifonnemens, que nous avons allegués fur
l'exiftence de l'Etre fuprème, confer-
veront ici toute leur force, comme fur
toutes les autres queftions, qui pourroient être agitées fur la matière, qui
fait le fujet de cet ouvrage. Concluons
donc, qu'originairement, ou dans un
état, où les fouverains n'ont pas limité
la liberté de produire fes Sentimens,
les uns ne peuvent pas prétendre à limiter celle des autres, & qu'il faut,
qu'il y ait une pleine liberté de produire fes Sentimens.

Cha-

CHAPITRE II.

Si la liberté de produire fes Sentimens *peut étre nuifible à la*
Société; & fi la contrainte ne
nuit pas plus à cet égard qu'u-
ne pleine liberté.

IL faut diftinguer ici entre la production & les Sentimens mêmes. Il
n'eft pas dit qu'en produifant des Sentimens nuifibles à la Société, cette production le foit auffi. E.**** par exemple a produit des Sentimens très nuifibles; mais il l'a fait d'une manière fi
ridicule, que cette production fait plus
de bien que de mal à la Société. Plufieurs Théologiers & grands Litera-
teurs declament contre l'ufage de la Raifon & de la Philofophie. Leurs raifonnemens font fi pitoiables, que l'Univers

vers changera bien , avant qu'ils ne parviennent à leur but. Auffi les Philofophes ne prennent-ils pas la peine de les refuter: ils gagnent trop à ces fortes d'attaques.

Il faut voir fi la production des Sentimens peut être nuifible à la Société, ou non: nous n'avons donc pas befoin de rechercher quels fentimens peuvent nuire ou pas, mais feulement fi on fait tort au Public en les produifant. Cependant on voit affez qu'il eft très néceffaire que les Sentimens , pour que leur production puiffe être nuifible, le foïent eux-mèmes; c'eft-à-dire, que jamais la production des Sentimens qui concourent au bien public, ou qui femblent être indifférens , ne pourra être nuifible à la Société.

On exigera une demonftration de ce que je viens d'avancer; je ne la refuferai pas quelque évidente que me paroiffe ce que j'affirme.

J'ai defini la production de fes Sentimens par l'action de communiquer aux autres fes idées fur certaines propofitions. Si ces idées ne font pas nuifibles

fibles à la Société, fi elles concourent au bien public, ou lui font indifféren-tes, ces idées ne pouront que produire un bon effet, ou n'en produire aucun ; d'où il fuit qu'en faifant exifter ces idées hors de nous, qu'en les produifant nous ne pouvons faire aucun tort au public.

CAR pour rendre cette preuve plus évidente encore, ces idées ne pour-roient nuire que lorsque l'on en feroit un mauvais ufage ; par exemple, lors-qu'un fripon fe prevaudroit des idées fur la probité pour duper un homme de bien ; lorsqu'un Galant fe fert des idées fur le devoir d'accomplir fes Ser-mens pour abufer d'une fille. Or dès là qu'en produifant des Sentimens utiles au public, on ne peut nuire qu'autant que les autres en font un mauvais ufa-ge, il fuit que cette production n'eft pas en elle-même nuifible, mais feulement par raport à ceux qui s'en fervent en mal ; & puisque tous les Sentimens font fujets au même inconvénient, il en re-fulte ou que toute production de fes Sentimens eft nuifible à la Société, ou

que

que celle qui n'a que des Sentimens úti-
tiles pour objet ne l'eſt pas. Or la prémière de ces deux propoſitions étant
d'une abſurdité palpable, puiſqu'elle
méneroit à un ſilence univerſel, il ſuit
conſéquemment que la dernière eſt
vraie; ſavoir, que la production des
Sentimens non-nuiſibles ne peut nuire
à la Société, ou doit être ſuppoſée telle pour le bien de la Société.

Puisque la production des Sentimens non-nuiſibles ou indifférentes ne
peut faire tort au bien public, voïons
ſi celle des Sentimens nuiſibles peut lui
en faire.

J'appelle *Sentiment nuiſible celui
qui produiroit un effet funeſte pour la Société, en cas que ſon effet répondit à ſa
nature.* J'appelle Sentiment nuiſible celui qui affirme, que les Vertus & les
Vices ne ſont pas eſſentiellement différens: que ce n'eſt que l'éducation qui
les determine &c.; parce que ſi l'effet
de ce Sentiment répondoit à ſa nature,
tous les hommes, ou la plûpart s'en
perſuaderoient & agiroient en conſéquence; ce qui ne pourroit qu'entrainer

ner un malheur univerſel pour toute
Société.

Il faut donc, pour que la production de quelques Sentimens puiſſe être
nuiſible, que ces Sentimens le ſoïent
eux-mêmes, & que relativement aux
Hommes ils ſoïent prouvés être de
cette nature: car des Créatures ne peuvent regarder des Sentimens comme
nuiſibles, les déclarer tels, & agir en
conféquence, qu'après qu'elles en ſont
convaincues, & cette conviction ne
peut venir qu'en conféquence des preuves ſolides qui le demontrent.

Ainsi, tant que des Sentimens ne
ſont pas prouvés être nuiſibles à la Société, ils ne le ſont pas non plus par
raport aux hommes, bien qu'ils le ſoïent
en eux-mêmes; & de la même manière leur production ne peut l'être. D'où
il reſulte que par raport aux Hommes,
& pour le bien de la Société en général, il faut poſer que la production des
Sentimens ne peut nuire, tant qu'il n'eſt
pas prouvé que ces Sentimens ſont
d'une telle nature. Suppoſez p. ex. qu'il
y ait encore quelques argumens con-

C   tre

tre la propofition, qui affirme que la négation d'une Divinité eſt nuiſible à la Société, & que ces argumens n'aïent pas été bien refutés encore; il reſulte-ra de là qu'il eſt indécis ſi cette nega-tion eſt nuiſible ou non. Or il eſt évi-dent par ce que nous avons dit au Ch. I. & dans celui-ci, que non-ſeulement il n'eſt pas contraire au bien public de produire ſes Sentimens ſur cette nega-tion, mais qu'on pourra ſoutenir cette negation par de nouveaux argumens, ſans manquer aux devoirs que le bien de la Société nous impoſe.

Je prevois aſſez qu'on m'accorde-ra facilement, que la production des Sentimens, qui ne ſont pas nuiſibles à la Société, ne l'eſt pas elle-même; mais on ſera plus reſervé ſur la propofition ſuivante, ſavoir que la production des Sentimens nuiſibles ne peut nuire. Je prevois même qu'on le niera, malgré toutes les preuves que nous allons en donner & en dépit de leur évidence: & que faute de demonſtrations on s'ar-mera d'injures, pour prevenir les ef-fets d'une vérité ſi ſalutaire aux Scien-ces,

ces, & à la félicité des Créatures raisonnables.

Nous avons prouvé ci-dessus, &
selon moi assez solidement, que le mauvais usage des Sentimens non-nuisibles
n'en rend pas la production nuisible;
mais pour appliquer cette vérité à la
présente proposition, voïons si nous ne
pouvons pas l'étendre & la mettre dans
tout son jour.

On dit communément *abusus non tol-*
lit usum; c'est-à-dire, que l'abus d'une
chose, n'est pas une raison suffisante
pour en priver le Genre humain, & par-
ticulièrement ceux qui en pouroient
faire un bon usage. Les Eglises, & en
général les assemblées de devotion servent souvent, aussi-bien que celles qui
ont les plaisirs pour objet, aux intrigues des jeunes Gens. Personne ne dira pourtant, que cet abus détruit la
nécessité du culte extérieur.

Nous nommons Sentimens nuisibles, ceux qui produiroient un mauvais effet, si leur effet répondoit à leur
nature; & par ceux qui ne font pas nuisibles nous entendons ceux, qui produiroient

roient un bon effet, fi l'effet répondoit
à leur nature.

Mais qui ne voit qu'en confidérant
ainfi les chofes en elles-mêmes, nous
n'avançons de rien dans la recherche
de ce qui peut être avantageux ou desavantageux au bien Public; & qu'il faut
abfolument confiderer toutes les chofes
relativement à l'état de l'Univers, pour
pouvoir diftinguer ce qui lui eft contraire ou non. Tout ce qui exifte n'exifte pas féparément, mais dans une certaine relation avec le Tout.

En confidérant donc les chofes dans
toute leur étendue, il faudra dire que
tout ce qui par fa nature produit ou
doit produire un mauvais effet, quelque ufage qu'on en faffe, & que tout
ce qui peut produire un mauvais effet
fans en pouvoir produire de bons, eft
nuifible à la Société: de manière que
les Sentimens nuifibles feront ceux, qui
pouront ou devront produire par leur
nature un mauvais effet, fans qu'ils
puiffent en produire de bons, ou dont
les mauvais effets doivent furpaffer les
bons, quelque ufage qu'on en faffe.

Je

JE rechercherai prémièrement fi les Sentimens peuvent nuire par un autre côté que par le mauvais ufage qu'on en fait: d'où il refultera en fecond lieu qu'il ne peut y avoir des Sentimens, dont les mauvais effets doivent furpaffer les bons, quelque ufage qu'on en faffe. Le mauvais ufage des Sentimens, ne les rendant pas nuifibles, il fera prouvé qu'ils ne le font pas en effet, & que leur production ne l'eft pas non plus, d'abord que j'aurai prouvé qu'ils ne peuvent nuire que par un mauvais ufage: & dès là que j'aurai prouvé qu'il ne peut y avoir des Sentimens, dont les mauvais effets doivent néceffairement furpaffer les bons, quelque ufage qu'on en faffe, il fera décidé qu'il n'y a point de fentiment nuifible, & que la production des Sentimens quelconques ne peut être desavantageufe à la Société humaine.

J'APPELLE *faire mauvais ufage d'une chofe, faire produire un mauvais effet à une caufe qui en produiroit un bon de fa nature; & fe prévaloir d'une cau-*

fe

se qui doit de sa nature produire un mau-
vais effet. Dans ce sens-là on dit qu'u-
ne Personne fait un mauvais usage de
la Logique , quand il s'en sert pour a-
veugler les autres; comme on en pourroit accuser l'ingénieux Baile: dans
ce sens-là les Ecclésiastiques font souvent un mauvais usage de la facilité du
Vulgaire , en le faisant donner aveuglement dans la superstition.

Je dis que les Sentimens ne peuvent
être nuisibles que par le mauvais usage qu'on en fait; & je le prouve ainsi.
Tout Sentiment , toute idée que l'on
forme sur une proposition est fausse ou
vraie. Je ne m'imagine pas qu'on veuille s'aveugler au point , que de soute-
nir que la vérité ou qu'une idée vraie
puisse nuire à la Société. Il vaudroit
autant interdire toute production des
idées. D'ailleurs le bien de la Société
demande qu'on se communique mutuellement ses idées; & le Créateur veut
que nous recherchions le bien de la Société: mais comment y contribuer , si
nous ne le connoissons pas , & comment le connoître sans en avoir de vé-

ri-

ritables idées. Dieu a donc voulu que
nous euſſions des idées vraies ſur le
bien Public, & conſéquemment que
nous les communiquaſſions aux autres;
& comme l'Etre ſuprème ne peut pas
vouloir une choſe & en même tems ce
qui lui eſt contraire, il paroit d'abord
que les idées vraies, que les Sentimens
conformes à la vérité ne peuvent nuire; & de là, par ce que nous avons
dit ci deſſus, que leur production ne
peut être nuiſible à la Société, que par
le mauvais uſage qu'on fait d'une bonne choſe.

Si les Sentimens ſont faux, quel
mal poura faire leur production, puiſque par là même qu'ils ſont faux ils ſe
détruiſent eux-mêmes, ou pourront ê-
tre détruits ſans beaucoup de peine:
d'où il reſulte qu'ils ne pourront produire un mauvais effet, & qu'ils ne pouront être nuiſibles que par le mauvais
uſage qu'on en fera.

Supposons par exemple que le
dogme de la Polygamie ſoit nuiſible à
la Société, on peut ou le prouver ou
ne pas le prouver. Si on peut le prouver,

ver, tous les argumens qu'on y oppo-
fera feront ou bien fans force, ou ren-
dront la queftion douteufe. Si ces argumens font fans force, ils ne font pas
nuifibles auffi , puisque le public de-
meurera convaincu de la vérité de cette propofition : s'ils rendent la chofe
douteufe, il n'eft pas prouvé que la Polygamie eft contraire au bien de la Société , & en dernier lieu, fi on ne peut
le prouver, il eft indécis fi elle eft nuifible ou non; & fi le contraire eft démontré, on a prouvé la fauffeté de l'affirmative. Tout Sentiment n'eft donc
nuifible que par le mauvais ufage qu'on
en fait.

Je fens bien qu'on me dira que les
fauffes idées peuvent être envelopées
dans un dehors fpécieux. Que l'art de
s'énoncer avec grace, d'écrire avec élegance, de propofer les chofes avec un
certain tour perfuafif; enfin que l'Art
de fe fervir de Sophismes , peut faire
paroître des idées fauffes fous une mer-
veilleufe apparence de Vérité.

Je l'avouë ; mais ce raifonnement porte plus contre mes Adverfaires que contre

tre moi ; puisqu'il paroit même par là, que ce n'eſt pas la production des Sentimens , mais la manière dont on les produit, qui en fait le danger ; manie que je ne prétend pas defendre ici. Qu'on mette une interdiction ſur la plume & la Langue de ceux qui s'en ſervent de mauvaiſe foi ; on en a le droit : mais que l'aveuglement ne nous faſſe pas punir les innocens pour les coupables. Qu'on prouve au public que tel Livre n'eſt qu'un tiſſus de Sophismes, enchaînés par la malice, & que c'eſt pour cela qu'on ne veut plus permettre à l'Auteur de divulguer ces idées ; & qu'on prouve par une bonne refutation, que la production d'un tel Ecrivain ne merite que le mepris de tout le monde. Quelle néceſſité de ſe faire ſifler ?

Car dès là que l'intelligence ne peut ſe refuſer à l'évidence, & que le faux ne peut lui faire donner ſon aſſentiment, il eſt palpable, que l'uſage ſeule, qu'on fait des idées d'un autre, en rend l'effet nuiſible ou utile ; que c'eſt la précipation, la négligence, la pareſſe, la préſomption, &c. qui font tour-

C 5   ner

ner en mal, une cause, à qui l'attention, la Réflexion, le jugement sevère
pourroient faire produire un bon effet.
Or je demande, si en conscience on ne
fait pas tort au Genre humain en le pri-
vant d'une chose, qui ne lui fait tort,
que parce que les defauts de quelques
de ses membres le tournent en mal?

ON me dira que mes Raisonnemens
sont bons pour une Republique Platoni-
cienne, ou pour un état construit selon
les idées d'un MORUS. Qu'il faut considérer les Hommes tels qu'ils sont; & a-
voir égard à leurs défauts. Je me re-
présente un Moraliste qui me dit, ce
que je vous viens de détailler est bon
en Théorie mais ne vaut rien dans la
Pratique. Quoi! je prouve que Dieu
veut telle & telle chose, & ma persuasion n'est qu'une connoissance specula-
tive. Mon Ame me dira votre Créateur ne veut pas que vous abusiez de
vos Sens, & je conduirai mes passions
à la debauche. Je prouverai qu'il faut
que je prefère le bien de ma Patrie au
mien, le Salut d'un membre plus consi-
dérable au mien propre, & mes preuves
ne

ne ferviront qu'à me faire jouer de ces
vérités.   Avez-vous peur des Sophismes, apprenez à les connoître au lieu
de perdre votre tems dans les plaifirs
inutiles ; & puisque votre affentiment
ne peut être flechi que par l'évidence,
fachez que vous ferez refponfable du
mauvais ufage que votre négligence,
ou votre pareffe vous fera faire des
Sentimens des autres.

Quoi ! pour un tas d'ignorans, de
pareffeux , il faudroit priver le Genre-
Humain de ce qui lui doit être le plus
chèr.   Là, ou fans lui oter ce bien on
peut remedier à ce qu'il a de dangereux,
ou prévenir ce qu'il pourroit produire de
funefte.   Je defie tout l'Univers de me
montrer une feule Créature qui foit intimément perfuadée d'une fauffeté.   *Cli-*
tandre a lu HOBBES: il en eft amou-
reux.   Dieu, vertu, vices, tout n'eft
que Phantome chez lui. HOBBES a-t-il
gâté fon Esprit ? Non.   Son Esprit y
a trouvé le voile que fon Coeur fouhai-
toit.   Si nos Circonftances nous empè-
chent d'aprofondir certaines vérités,
remettons-nous en à des perfonnes, qui
plus

plus par leur vie que par leurs discours nous montrent qu'ils ont le bien public à coeur. Faites à autrui ce que vous voulez qu'on vous faſſe. Que cette Règle ſoit votre Loi & votre Religion. Votre Ame vous dit que votre Créateur n'en veut point d'autre.

Avouons qu'il n'y a rien de plus ridicule, que d'alleguer le mauvais uſage que certains esprits font des Sentimens dangereux, pour en interdire la production ; & que puisque les Sentimens ne peuvent nuire que de ce côté-là, il n'y a point de Sentimens qui nuiſe que par l'abus qu'on en fait, & que l'intérêt public demande que leur production ſoit libre & illimitée.

Je ne veux pas me contenter de ces demonſtrations. J'ai ſuppoſé ci-deſſus, que la decouverte de la Vérité va de pair avec le bien public, afin de faire voir que pour cette ſeule raiſon les uns ne peuvent avoir ſur les autres le droit de limiter la production des Sentimens. Nous en conclurons préſentement que la liberté de produire ſes Sentimens eſt néceſſairement liée au Bien Public. Il

faut

faut être bien hardi pour nier les pre-
miffes.   Mais comme j'attend tout de
mes Adverfaires, je vais prouver cet
axiome.

Il eft vrai ou faux que le monde eft
fufceptible de bien & de mal. Si cette
Propofition eft fauffe, il eft faux que
Dieu veuille le bien de ce qu'il a produit; il eft faux qu'il exifte, il eft faux
que j'écris. Je ne me mettrai pas en
fraix pour montrer la folie de ces Gens-
là. Le monde eft fufceptible de bien.
C'eft une vérité. Dieu veut que je contribue à ce bien.   Voilà une feconde
vérité. N'importe de quelle manière je
connoiffe cette feconde vérité: c'eft le
point d'où je pars. Dieu veut que je
contribue au bien de l'Univers : comment ? Par ce que mon intelligence
m'en fera connoître. C'eft-à-dire, que
Dieu veut que je connoiffe en quoi
confifte le bien de l'Univers.   Mais
comment le connoître fans le rechercher.   Il faut donc que je recherche en quoi confifte le bien de l'U-
nivers. Mais comment connoître encore en quoi confifte le bien de l'U-

nivers, fans avoir quelque connoiffance de ces attributs. Et comment ac-
quérir cette connoiffance fans la rechercher. Nous fommes donc, toutes
les Créatures raifonnables avec moi, obligés de rechercher la connoiffance des
attributs de l'Univers ; & les vérités
n'étant pas différentes des attributs de
l'Univers, il refulte de ce raifonnement, que pour contribuer au bien de
l'Univers il faut connoître & rechercher les Vérités; & de là, que toute
Vérité ne peut être nuifible à la Société, & que fa recherche & fa decouverte ne peuvent que lui être très u-
tiles. Il eft donc prouvé que tout ce
qui fert à la découverte de la vérité
eft utile à la Société, &, par cette
raifon, lié & néceffaire au bien public. Et que comme il eft impoffible, & même de la plus grande impos-
fibilité, de découvrir la vérité, fans
la rechercher : l'utilité publique demande cette recherche. D'où il refulte encore, que fi la recherche de la vérité demande abfolument la liberté de
produire fes Sentimens ; cette liberté
fe-

fera abfolument liée au Bien Public.

IL ne faut pas un génie Newtonien, pour voir, que fans une pleine liberté de produire fes Sentimens, la recherche de la vérité eft impoffible : puisqu'une propofition ne peut-être dit vraie ou demontrée, tant qu'il a des argumens qui la combattent, ou qu'il y en a des folides pour fon oppofé. Ainfi, à moins que d'avoir détruit tout ce qui ébranle une propofition, on ne peut fe glorifier de l'avoir démontrée rigoureufement; ou du moins l'évidence, néceffaire à toute vérité y manquera; or, puisque, fans la liberté de produire fes Sentimens, on ne peut pas fe flater d'avoir vu toutes les objections; il fuit tout naturellement, que, fans cette liberté, on ne peut pas être rigoureufement convaincu d'aucune propofition. D'où il fuit, que, fans elle, nous ne pourrons jamais être perfuadés de la vérité d'une propofition, & que par là nous ne pourrons pas nous en fervir pour en déduire des conféquences, à moins qu'on ne les veuille regarder comme des jeux d'Esprit & d'imagination.

POUR

POUR rendre ceci plus fenfible, a-
joutons un exemple à ce raifonnement.
Il y a bien des pays, où il eft défendu
d'expofer librement fes penfées fur la
Divinité. L'Angleterre eft peut-être le
feul, où on ne pourfuit pas ceux, qui,
à cet égard, en ont de fort extraordi-
naires. Mais je voudrois bien favoir,
fi, en bonne Logique, on peut dire
l'exiftence de Dieu prouvée, tant qu'il
y a des preuves pour & contre la propofition, s'il y a un Dieu, ou s'il n'y
en a pas. Or en défendant à ceux,
qui fe font appliqués à tout ce qu'il
faut, pour découvrir la vérité, ou la
fauffeté de cette propofition, de produire leurs idées fur ce fujet, fi elles la
combattent, comment peut-on s'affurer, comment ofe-t-on s'affurer, que
cette propofition eft évidemment démontrée, puifqu'on fe prive volontai-
rement de tout ce qui la combat. Entre deux perfonnes, dont l'une écoute-
roit les raifons de l'autre, & ne feroit
pas écoutée, & qui fe diroient convain-
cuës toutes deux, à qui ajouteroit-on
foi; & laquelle mériteroit d'être crue,

fi

fi on n'avoit le loifir, ou la force, d'a-
profondir foi-même la matière? Qu'on
dife après cela, qu'on eſt convaincu de
l'exiſtence de Dieu; qu'on pourſuive
les Athées. Ces gens ne feront chez
moi, que des impoſteurs, qui ne méri-
teront pas la moindre attention.

Il n'eſt donc guères difficile de décider, combien peu on peut découvrir la vérité, & combien peu on peut
s'en glorifier, s'il n'eſt permis de produire ſes Sentimens, que lors qu'ils con-
viennent avec ceux, que certaines perſonnes ont fait recevoir & avaler au public. Je veux encore prendre pour exemple cette même exiſtence, dont je
viens de parler; ou plûtôt la nature de
la Divinité.

On fait, comment Mr. Leibnitz a
démontré, que de tous les mondes pos-
ſibles, celui-ci étoit le feul éligible, &
par conféquent auſſi le feul poſſible,
par raport à la nature divine. De là
on va de conféquence en conféquence,
& on prouve, que Dieu n'a pas pu
abſolument créer un autre monde. J'a-
vouë que c'eſt une vérité toute pure,

qui

qui ne demande pas une longue chaine
de raisonnemens, pour être mise en é-
vidence. Mais on déduit de là, que ce
Système ôte à Dieu sa liberté, & que,
par conséquent, c'est un Système damna-
ble, que bien des personnes n'osent en-
seigner, crainte d'être décriés comme
hérétiques, Athées, Spinozistes, &c.
Cependant, à bien considérer la chose,
& à la regarder d'un oeil de Philosophe, cette accusation n'a de force, que
dans l'esprit de ceux, qui se forment
certaines idées sur la liberté, & qui en
posent son essence dans une espèce d'in-
différence, de pouvoir de suspendre,
&c. Or dès là, qu'il n'est pas prouvé,
que l'essence de la liberté consiste dans
ces attributs de l'intelligence, il n'est
pas prouvé aussi, que le Système de
Mr. LEIBNITZ ôte la liberté à l'Etre
suprème. Et puisque nous ne sommes
jamais plus libres, que quand nous pouvons d'abord déterminer notre volonté, il y auroit beaucoup plus de raison
a croire, que la parfaite liberté consiste dans la plus promte détermination
de la volonté; de manière, que l'Etre
su-

suprème ne choifiroit pas, à proprement parler; mais fe détermineroit toûjours. Voilà le comble de la puiffan-
ce, dirigée par la fuprème fageffe. Ainfi le Syftème de Mr. LEIBNITZ bien
loin d'ôter à Dieu fa liberté lui en attribue la plus parfaite.

TOUTE évidente que me paroiffe
cette conclufion, je ne fuis pas furpris
pourtant, que certaines gens la regardent comme très incompatible avec la
nature divine. Je ne veux pas aprofondir
cette matière ici , mais je demande, à
qui on doit s'en raporter, quand on ne
peut foi-même en rechercher la vérité?
à ceux, qui veulent, qu'on fuive leurs
idées tandis qu'ils ne veulent pas écouter ce qui affermit celles des autres; ou
bien à ceux, qui pèfent les argumens
qu'on leur oppofe, qui réflechiffent, &
demeurent perfuadés de leur Syftème
après de profondes méditations? La ré-
ponfe eft toute fimple , & je laiffe à
ceux, qui prétendent limiter la liberté
de produire fes Sentimens, à juger des
avantagés, qu'ils doivent tirer d'un pa-
reil procédé. Si nous appliquons tous

ces

ces raifonnemens à la réligion, quelle
fource ne trouvons-nous pas pour prouver, que la liberté de produire fes Sentimens à ce fujet ne peut jamais être limitée, dans quelque état qu'on foit. Y
a-t-il une matière, dont la vérité influe
plus fur l'utilité publique, & y en a-t-il
une, dont le vrai ou le faux foit de plus
d'importance pour chaque homme en
particulier ? Combien donc la recherche à cet égard ne doit-elle pas être
chère à tout le Genre humain ? Et quel
tort ne lui fait-on pas, en limitant la liberté de produire fes Sentimens fur un
fujet, qui en devroit être exempt,
quand même il feroit prouvé autant
qu'il l'eft peu, que cette liberté peut ê-
tre bridée fur certains points ?

Qui ne voit après cela que cette limitation ne produit qu'un effet tout
contraire à celui qu'on fe propofe; ou
pour mieux dire qu'on pretexte : car il
n'eft pas bien concevable qu'une fuite
de tant d'années, ne puiffe defiller les
yeux de ceux qui veulent voir clair à
cet égard. Qu'eft-ce que cette limitation, ces defenfes, qu'eft-ce que les
Echa-

Échafauts, le feu même a opéré? Qu'à faire croire au public, qu'on n'a defendu tels Sentimens que parce qu'on n'étoit pas en état d'y répondre, ou d'en prouver la fauſſeté, s'il veut bien faire grace ſur la choſe même & ne la pas croire fauſſe, ce qui n'eſt que trop démenti par l'expérience.

CE n'eſt pas tout d'avoir prouvé que la production des Sentimens ne peut être nuiſible à la Société, que par le mauvais uſage qu'on en fait, & que la liberté de les produire eſt néceſſairement liée à la félicité du Genre-Humain: il eſt bon encore d'indiquer quels mauvais effets cette contrainte produit ſur les Sentimens.

NOUS l'avons dit ci-deſſus. On n'oſe pouſſer ſes idées, crainte de devenir l'objet odieux d'un Peuple prévenu & aveugle avec qui il faut vivre. Y a-t-il rien qui nuiſe tant à la découverte de la vérité & par une conſéquence légitime au bonheur des Créatures raiſonnables? Né dans un pays, libre ſur les Sentimens, Mr. DE MAUPERTUIS n'auroit-il pas ſurpaſſé NEUTON comme il l'égale?

ON limite, on bride, on empêche,

on

on proſcrit la liberté de produire ſes Sentimens. Pourquoi ? Pour prévenir la corruption des esprits foibles. Sont-ce des morceaux de bois polis qu'un mauvais rabot puiſſe gâter, ou dont la forme puiſſe être détruite par une mal-adreſſe ? Vous qui jugez des intelligen-ces par vos idées ſur le matériel , ſavez-vous que vos ſoins doivent pervertir ces Esprits, dont la conſervation vous tient tant au Coeur. Vous voulez qu'ils s'en raportent à votre déciſion. Decla-mateurs frivoles, c'eſt en vain que vous vous dites inſpirés d'un Esprit ſupérieur & divin : Votre conduite dement vos discours ; vos injuſtices , le but que vous dites avoir ; & vos menſonges vous cou-vrent de honte. Prouvez vos dogmes aux esprits forts par l'évidence ; & aux esprits foibles par une conduite qui y reponde. Voilà votre devoir & le ſeul moïen de ſubjuguer les esprits.

L'ESPRIT n'eſt pas naturellement porté vers l'ignorance ; il veut ſavoir avant que de ſe prêter. Cent & mille fois vous lui direz que la raiſon eſt de votre côté ; il n'en croira rien : il veut

être

être convaincu; une preuve fuffit. Un esprit mol & pareffeux ne vous écoute qu'avec peine; & celui qui demande les vérités avec indignation. Le prémier ne prendra pas la peine de s'informer qui de vous ou de votre adverfaire a raifon: il fe tiendra à ce qui femble lui convenir le mieux. L'autre veut juger lui-même, & fe portera fur ce qui forcera fon affentiment. S'il écoute vos Adverfaires, il vous écoutera auffi; & s'il ne peut entendre les prémiers c'eft en vain que vous lui prêchez.

Les Esprits portés vers le vice ne feront pas changés par votre manière d'agir, à moins qu'elle n'opère fur eux. Perfuadez-les qu'ils donnent tête baiffée dans leur propre malheur. Leur repentance ne demande rien de plus. S'ils s'en mocquent; les foins que vous prenez à les priver de leurs aiguillons eft cela même qui les porte au plus haut dégré d'entêtement & d'opiniatreté.

Les Livres de Moïfe font émanés de Dieu. On le dit, il faut que je le croie.

D 4

croie. *Phocion* le nie; mais on lui empêche d'en produire les raisons. Si *Phocion* a tort pourquoi l'empêche-t-on de parler? Parce qu'il debite bien sa marchandise & qu'il a le don de persuader en partage. Qu'est-ce donc que ce don de persuader, si ce n'est l'art de donner les preuves les plus évidentes, ou du moins les plus plausibles? On veut donc que j'ajoute foi à ce qui est prouvé moins, pour rejetter ce qui est mieux prouvé? Non: on veut que je ne sois pas pris à l'hameçon de l'éleegance, parce que je n'ai pas assez de force pour voir ce qu'il y a de vrai dans ces raisonnemens-ci, & de faux dans ceux-là, & qu'on veut m'empêcher de tomber dans l'erreur. Mais si je tombe malgré moi dans l'erreur, je ne suis plus coupable. Il suffit que j'emploïe les lumières dont Dieu m'a bien voulu gratifier. Là Société seroit bouleversée. Cent mille ames seroient corrompues avec la mienne. Quoi! Dieu a créé un Univers, qui seroit malheureux, qui se détruiroit si on suivoit sa volonté? Non. Quoi donc? Dieu y

a

a pourvu en remettant le foin de vos ames entre nos mains. Quoique ce raifonnement foit auffi contraire aux Intelligences que les Raïons inégaux aux Cercles, pofons que cela foit, qu'en arrivera-t-il ? Qu'au pis-aller on doutera de l'affirmative ; & comme elle tient un peu du merveilleux, qu'on n'y ajoutera qu'une fois très médiocre. On n'a pas befoin de s'inquieter pour ceux qui croient tout ce qui leur eft infinué par les Nourices, & les Gens d'un certain ordre. On leur démontreroit en vain que Jacob en a mal agi avec fon frère, Jacob demeureroit l'élu de Dieu.

Il faut donc planter là ces esprits médiocres & ne confidérer ici que ceux, qui peuvent être convaincus de quelque vérité. Qu'eft-ce que produira fur eux en général la defenfe de produire librement fes Sentimens ? Elle denote néceffairement une crainte , & par là elle indique une espèce d'incertitude & d'apprehenfion, que les esprits foibles ne s'attribueront certainement pas , mais qu'ils retourneront fur ceux qui devroient avoir l'art de s'acommoder à

D 5   leur

leur foibleffe. Qu'en arrivera-t-il? Que
ces esprits foibles n'auront plus de confiance dans leurs Docteurs. Chofe bien
pernicieufe & fur-tout dans une Société, où la perfuafion du vrai, qu'elle vienne de quel côté qu'on voudra,
doit faire le fondement, comme dans
celles qui ont le culte de Dieu pour objet.

DONNONS un exemple, & fuppo-
fons, qu'un Souverain fe trouve en
dispute avec un autre, & qu'un des
deux défende à fes fujets de produire
leurs Sentimens fur le fujet, & la caufe,
de leur démelé, ou fur les raifons, que
l'autre produit: cette défenfe dénotera
d'abord une crainte, qui ne peut que
faire douter les fujets de la juftice de
fa caufe. S'il a raifon, fes propres fujets feront-ils les feuls, à qui il ne fera pas permis d'en être convaincus?
Rapellons ici l'argument, que nous a-
vons déjà donné ci-deffus. Qui des
deux en croira-t-on, quand on n'eft pas
libre d'aprofondir foi-même la chofe,
celui, qui permet, que toutes les raifons foient mifes au jour, ou celui,

qui

qui en veut cacher quelques unes. La décifion n'eft pas difficile.

D'un autre côté, quel plaifir pour les fujets, de voir la juſtice des procédés de leur Souverain, & combien cela ne les excite-t-il pas à foutenir fa caufe? Sans cela les Hollandois feroient-ils fi déterminés à fe défendre contre les injuſtes aggreffeurs? On ne peut donc que faire douter le public, quand on lui défend de produire fes Sentimens; & lui oter toute confiance; ou plûtôt on lui fera croire, qu'on a tort, & qu'on cherche tous les moïens de l'aveugler. Or fi cela eft; fi la défenfe de produire fes Sentimens ne peut que jetter les hommes dans un doute fur les propofitions, qui en font l'objet: quel moïen, que le public foit jamais perfuadé fur fa religion, tant qu'on défend la plume aux Athées, aux Esprits forts &c.? C'eft une vérité, qui faute aux yeux, & que l'Imprimeur de l'Homme Machine, qu'on ne peut affurément taxer de partialité, a bien remarqué, lorsqu'il dit dans fon Avertiffiment, ,, Pourquoi être fi attentif, & fi alerte,

,, à

„ à fuprimer les argumens contraires
„ aux idées de la Divinité & de la
„ Religion? Cela ne peut-il pas faire
„ croire au peuple, qu'on le leur-
„ re? Et dès qu'il commence à dou-
„ ter, adieu la conviction, & par
„ conféquent, la Religion ". Monf.
DE FORMEY a très bien touché
auffi cette Vérité dans fa *Logique des
Vraifemblances*, où il dit: ” Pour-
„ quoi prendre l'allarme aux prémiers
„ mouvemens des Incredules? Nous
„ les rendons dangereux & rédouta-
„ bles en les fuppofant tels ". Voilà des vérités, qui coulent fi néceffairement de la défenfe de produire fes
Sentimens en général, & fur la Religion en particulier, que je ne com-
prends pas, comment il eft poffible,
que dans un fiècle auffi éclairé, que
le notre, les Souverains foutiennent encore ceux, qui veulent limiter cette liberté.

Après avoir démontré, que les hommes doivent naturellement jouïr d'une
pleine liberté de produire leurs Sentimens, que le bien public, & la recher-
che

che de la vérité le demandent, voïons
ſi les Souverains ont le droit de l'o-
ter à leurs ſujets, ou de la reſtreindre.

CHA-

CHAPITRE III.

Si les Souverains ont ſur leurs Sujets le droit de limiter la production de leurs Sentimens.

QUAND je parle de droit, je parle d'un droit légitime, fondé ſur la nature de l'Etat qu'on gouverne, où ſur les Loix juſtes qui en font le fondement. Pour décider ſi les Souverains peuvent légitimement empêcher leurs Sujets de produire leurs Sentimens, ou les limiter ſur cet article, nous ne remonterons pas à l'origine des choſes ; ou plûtôt à l'origine des Sociétes Civiles. Nous laiſſons ces escaliers derobés à ceux qui n'ont pas les yeux aſſez forts pour ſoutenir le grand jour.

Nous avons fait voir aſſez, que naturellement les Hommes ne peuvent avoir les uns ſur les autres le droit de limi-

miter la liberté de produire ſes Sentimens, & que le bien public demande
cette Liberté. Sans nous arrêter aux
vaines fictions des Scholaſtiques, il ſuf-
fira de remarquer uniquement, que les
Souverains, s'il y a un Etre ſuprême,
ſont dans l'obligation indiſpenſable,
quelques libres qu'ils ſoient, dans
quelque Etat qu'ils ſe trouvent, de diriger la volonté de leurs Sujets vers
tout ce qui tend au bien de leur Société en particulier, & au bien de l'Univers en général. Si un Souverain croit
qu'il n'eſt obligé que de voir ce qui
peut donner de la grandeur, du relief,
&c. à ſon Etat; de connoître ce qui
peut contribuer à ſa felicité, & d'agir
en conſéquence, il ſe trompe. C'eſt
une chimére que de penſer qu'on ne
doit avoir en vuë que ſon bien particulier. Il n'y a point de Dieu, ou ce
Dieu veut le bien du Tout; & que
tout individu y contribuë ſelon la place
qu'il lui a aſſignée.

Les Souverains doivent donc régler
la volonté de leurs Sujets vers ce but,
ſi leur ſoumiſſion eſt illimitée, & les
Su-

Sujets font obligés en ce cas-là de leur prêter une obéïffance entière.

JE dis fi leur foumiffion eft illimitée. Les Loix fondamentales d'un Etat peuvent decider fur bien des points, & comme elles ont été portées pour le bien, nul Souverain ne peut être difpenfé de les negliger, qu'autant qu'il eft manifefte qu'elles produifent un effet contraire.

NOUS avons touché ci-deffus le devoir des Créatures, & leur obligation à concourir à tout ce qui peut procurer la felicité du Genre Humain. Les Souverains & les Sujets font fur cet article dans une obligation égale. Nous avons remarqué encore que felon les Principes de la bonne morale, chacun eft tenu de fuivre fa propre perfuafion, fut-elle erronée. De là nous concluons qu'un Souverain doit diriger la volonté de fes Sujets, vers tout ce qui tend au bien de leur propre Société, & à celui du Genre-Humain, felon les idées qu'il en a; tout comme le jugement doit diriger nos membres à notre propre felicité, & à celle des autres, fe-

lon

lon l'idée que nous nous en formons.

Voïons donc, car voilà proprement ce qu'il y a de plus intéreſſant dans cette brochure, ſi les Souverains ont le droit de reſtreindre la liberté ſur la production des Sentimens, & ſuppoſons d'abord un Etat, où la ſujettion des Sujets eſt illimitée. En le ſuppoſant tel il n'y aura rien de plus facile que d'appliquer ce que nous allons dire aux autres Etats qui auront une forme différente. On déduit de l'exiſtence d'un Etre ſuprème, que les Souverains ſont tenus, auſſi bien que leurs Sujets, & tous les autres hommes, de rechercher le bien du Genre-Humain en général, & celui de leur propre Etat en particulier; qu'ils ont par là le droit de diriger la volonté de leurs Sujets vers ce but, qui, de leur part, ſont tenus à une entière obéïſſance. Nous avons remarqué encore, que ſelon les principes de la bonne morale chacun eſt tenu de ſuivre ſa propre perſuaſion, fut-elle erronée. De là nous concluons, ſelon la manière de conclure la plus rigide, que les Souverains doivent, &

E   peu-

peuvent diriger la volonté de leurs
Sujets vers tout ce qu'ils jugent convenir au bien de la Société en général,
& en particulier à celui de l'état, dont
ils font les chefs: d'où il fuit encore,
que, par la même raifon, les Souverains ont le droit de reftreindre la liberté de leurs Sujets non feulement fur
tout ce qui peut nuire ; mais fur ce
qu'ils jugent desavantageux à leur E-
tat: de manière, que, s'ils font perfuadés par eux-mêmes, que la production de tels ou tels Sentimens eft nuifible, ils pourront la défendre. On voit
par là, qu'il n'eft pas befoin, que les
Sentimens foient contraires au bien public, mais feulement, que les Souverains les jugent ainfi, pour pouvoir en
défendre la production.

Cette démonftration étant des plus
générales, il paroit, que ce droit des
Souverains fur leurs Sujets, ne s'éten-
dera pas feulement fur tels & tels Sentimens particuliers, mais fur tous les
Sentimens, de quelque nature qu'ils
puiffent être ; de manière, qu'il fera
auffi bien permis aux Souverains de
dé-

défendre, qu'on produise des Sentimens, qui affurent la religion & la
bonne morale, que ceux, qui fervent
à en faire voir la foibleffe & la folie.

LES Souverains par conféquent, qui
ont un droit illimité fur leurs Sujets,
pourront également défendre, qu'on é-
claircifle les paffages du V. & du N.
Teftament; qu'on enfeigne la religion
naturelle & revelée, & qu'on enfeigne
l'Athéïsme. Ils pourront même interdire tous les Sentimens de religion, &
ordonner des affemblées publiques, pour
écouter des Athées.

C'EST ainfi qu'on a, fi je ne me trompe, defendu entre autres en Hollande
d'enfeigner le menfonge officieux. On
a même défendu de le foûtenir par é-
crit, de manière, qu'il n'étoit pas moins
honteux & ridicule de croire, qu'il é-
toit permis de fauver par un menfonge
fon prochain des pourfuites d'un Bri-
gand, que de croire, qu'il n'y a point
de Dieu. Cependant il ne faut pas un
grand génie, pour prouver, que le
menfonge officieux réfulte des principes de la religion naturelle, & qu'elle

E 2   ne

ne peut être contraire à la véritable
vertu, malgré tout ce que la malice a
pu fuggérer à Mᵗ. DE LA CHAPELLE,
pour en déduire d'odieuſes conſéquen-
ces, dont il auroit peut-être eu beaucoup de peine à faire voir rigidement
la fauſſeté. Car, pour le dire ici en
paſſant, où ſont les preuves ſolides,
qui démontrent, qu'il eſt contraire à
l'eſſence de l'Etre ſuprème de ſe ſervir de menſonges. Je ſai bien tout ce
qu'on dit ſur la véracité de Dieu : mais
un Philoſophe veut des démonſtrations,
& ne ſe contente nullement de vaines
paroles prononcées en l'air.

Nous voilà inſenſiblement à la conſéquence, que les Souverains ont le
droit de déterminer ce qu'on doit enſeigner & ne pas enſeigner ; quels Sentimens on peut produire, & ne pas produire ; de manière, que ſi un Prince a
un pouvoir illimité ſur ſes Sujets, il
pourra ordonner, qu'on apprenne aux
enfans les fondemens de la bonne morale, l'humanité, la charité, l'amour
mutuel, au lieu de toutes ces vaines
controverſes, qu'on leur enſeigne bien

ou

ou mal, dès le berceau, & qui ne fervent, qu'à les rendre ſtupides pendant le
cours de leur vie. Il pourroit, dis-je, faire ſupprimer tous ces Catechismes, dont
presque tous les Pays abondent, & qui
ne peuvent ſervir, qu'à rendre le peuple ſuperſtitieux & inhumain, & y ſub-
ſtituer d'autres, qui enſeignaſſent ce
qu'on doit à ſon prochain en général,
& à ſes concitoiens en particulier. C'eſt
alors, qu'on pourroit eſpérer, qu'à la
fin cette animoſité, qui règne toûjours
entre les partiſans des Egliſes, s'éva-
noüiroit, & feroit place à cette con-
deſcendance pour les opinions, qui fait
le caractère diſtinctif de l'homme droit
& pieux. Des Catechismes, où les
fondemens de ces vertus feroient naturellement expoſés & déduits de ſimples
principes, mis à la portée d'un enten-
dement foible & tendre, vaudroient,
à mon avis, bien tous ceux, que la vanité fait compoſer journellement, &
où le ſens commun ſe trouve entièrement éclipſé. En conſcience, ces bro-
chures peuvent-elles produire un autre
effet, que de dépraver ce qui reſte de

E 3   bon

bon au fens commun? On ne trouvera
jamais de moïen plus fûr pour corrom-
pre le Genre-Humain , & , par conféquent, pour foûtenir la thèfe, qu'il eft
naturellement corrompu. Si c'eft pour
cette raifon , que des Théologiens s'en
fervent, j'admire leur adreffe.

De ce pouvoir des Souverains fur
leurs Sujets peut encore réfulter une
grande utilité pour tous les Etats. C'eft
celle de brider la langue de leurs Pré-
dicateurs. Il eft inconcevable à quels
excès ces Meffieurs ofent pouffer leur
infolence. Quels effets n'en a-t-on pas
vu & n'en voit-on pas journellement
dans les Etats, où malheureufement
ils ont trop d'influence, foit fur la partie qui gouverne, foit fur celle qui eft
gouvernée. Comme ils mettent une
certaine gloire à drapper les Souverains,
ils ne laiffent échaper aucune occafion
pour injurier ceux , à qui ils doivent
du refpect & de l'obéïffance. Voilà un
effet de la liberté de produire fes Sentimens que je ne veux nullement défendre ici. C'en eft un abus des plus ma-
nifeftes & des plus groffiers. Ils font
pa-

payés pour enfeigner la Religion du
Pays ; on leur accorde la liberté de prê-
cher les Loix divines, & non pas celle
de porter leur jugement fur des matiè-
res, qu'ils ne font pas à portée de connoître, & fur lesquelles ils doivent comme tout autre membre garder en public
un profond filence.   N'a-t-on pas vu
l'impudence des Eccléfiaftiques aller jusqu'à offrir de leur chef leur Pays par
des Ambaffadeurs à une Reine étrangè-
re ? Puisque les mauvaifes conféquences
de ces procédés Eccléfiaftiques ne peuvent être mis en doute, & qu'ils font
d'un desavantage manifefte pour la Société, les Souverains ont un plein droit
de brider la liberté de ces Zèlés Pafteurs
fur la production de leurs Sentimens,
étendue fur des chofes, auxquelles ils
n'entendent goute, & qui ne font pas
de leur reffort ; comme fur les affaires
politiques tant internes qu'externes ; fur
les moeurs de leurs magiftrats ; fur leur
conduite dans certaines circonftances ;
& autres fruits de leur crû, qui portent tous le caractère de gens turbu-
lens, factieux, fans éducation, & fans

E 4   hon-

honneur, comme il s'en trouve beau‑
coup parmi eux. Tout Souverain a
non‑feulement le droit de reſtrein‑
dre cette liberté uſurpée des Eccléſias‑
tiques, mais ils y ſont même obligés,
puiſque l'effet de cette limitation ne
peut leur être inconnu, & qu'il ne peut
faire qu'un très grand bien à tout Etat;
car d'un côté on déracineroit par là
cette maudite vanité, dont ces Meſ‑
ſieurs ſe gonflent, aux dépens du ré‑
pos public, & d'un autre côté ils de‑
vroient chercher dans leur propre ma‑
gazin de quoi contenter, pendant quel‑
ques heures conſécutives, ceux qui ont
& le loiſir & la patience de les écou‑
ter.

D E tout ce que nous venons de dire
la concluſion eſt très facile. Elle revient
à ce qu'un Souverain pourra limiter la
liberté de produire ſes Sentimens indi‑
féremment ſur tout, dès qu'il ſera per‑
ſuadé, que le bien public le demande.
Mais comme un Souverain, quelques
talens qu'il ait, à moins‑qu'on ne veuil‑
le excepter le Pape, ne peut prétendre
à l'infaillibilité, il ſuit, que tout Sou‑
ve‑

verain eſt auſſi dans l'obligation d'écouter tout ce qu'on peut lui dire , pour
prouver que ſa perſuaſion eſt fauſſe.
Car il n'eſt pas moins prouvé, que le
peuple doit agir ſelon ſa perſuaſion, que
le Souverain ſelon la ſienne. D'où il
réſulte, que ſi un des membres de la
Société croit pouvoir être en état de
démontrer, que le Souverain ſe trompe
ſur un certain point : le droit de produire ſes Sentimens à cet égard ne
pourra lui être refuſé ; puisque le Souverain ſera dans l'obligation de changer, s'il aperçoit l'évidence des raiſonnemens de ſon Sujet.

IL reſte donc prouvé , que le Souverain peut reſtreindre la liberté ſur la
production de certains Sentimens, s'il
juge , que l'utilité publique le demande ; mais en même tems, que le peuple, ou les Sujets, conſervent le droit
d'expoſer leurs Sentimens ſur la perſuaſion des Souverains. Et puisque nous
avons prouvé dans le Ch. précédent,
qu'il n'y a réellement point de Sentimens, dont la production puiſſe être
nuiſible à la Société , il eſt prouvé

E 5 auſſi,

auſſi, qu'abſtraction faite de la perſuaſion des Souverains, aucun d'eux n'a
le droit de limiter cette liberté, puiſque ce droit ne reſulteroit que d'une
perſuaſion erronée.

Sɪ on veut prendre encore la peine
de reflechir ſans préjugés & ſans paſſion, ſur ce que nous avons dit, on ſera obligé d'avouër, que la recherche de
la Vérité eſt néceſſairement liée au bien
public, & qu'il eſt évidemment vrai,
que tout Souverain, quel qu'il ſoit, &
dans quelque état qu'il ſe trouve, étant,
auſſi bien que ſes Sujets, tenu à tout ce
qui peut contribuer à l'utilité publique,
ne pourra pas uſer des moïens contraires à la découverte de la Vérité ; &
puiſqu'on ne peut l'obtenir qu'en laiſ-
ſant une entière liberté de produire ſes
Sentimens, que les Souverains n'ont
aucun droit de la limiter.

Puɪsquᴇ d'ailleurs la liberté de
produire ſes Sentimens ne peut être o-
tée aux hommes, ni limitée, que ſur
ce que le Souverain croit nuiſible à la
Société ; il eſt d'une évidence palpable, qu'il ſeroit fort utile de faire voir
aux

aux Souverains, quels Sentimens peuvent nuire, & quels font ceux, qui peuvent contribuer au bien de la Société.

Nous aurions donc ici un champ très ample pour les faire paſſer en revuë, & juger de ceux, qui mériteroient d'être caſſés comme inhabiles, & de ceux, qui devroient être comptés au nombre des meilleurs combattans. Mais comme d'un côté cette revuë ſurpaſſe mes forces, & que d'un autre côté, je ne préſume pas aſſez de moi-même, pour me flater d'une ſérieuſe attention fort néceſſaire à cet égard, je me contenterai de remarquer en faveur des Zèlés Théologiens, qu'il ne feroit pas fort difficile de démontrer, qu'à la tête des Sentimens nuiſibles, & par conſéquent très damnables, ſe trouve celui, qui établit, que l'Egliſe ne doit pas être ſoumiſe aux Souverains; que c'eſt un petit empire à part, qui a ſes Loix en propre, émanées de la part de certains hommes, doués d'une ſageſſe inſpirée, contre lesquels les Souverains ne doivent rien ordonner, & auxquels le peuple doit l'obéïſſance la
plus

plus aveugle, préférablement à tout
autre; quoique là, où il s'agit de perfuafion, & de conviction, rien ne foit
plus abfurde, qu'une aveugle obéïffance.
Et s'il eft vrai, que la fuperftition eft
plus nuifible à un Etat, que l'Athéifme,
comme l'a prétendu l'ingénieux BAY-
LE, n'auroit-on pas tout droit de conclure ici, que tous les Sentimens, qui
y mènent, devroient être bannis, a-
vant que de fonger à ceux, qui peuvent fonder l'Athéisme? Mais comme
Mr. BAYLE, tout ingénieux qu'il é-
toit, peut s'être trompé, auffi bien que
les grands hommes, qui l'ont précédé,
& que nous fommes fort portés a croire, qu'il a donné de travers dans cette
queftion; contentons-nous de conclure
fur les preuves que nous en avons données, que la production de fes Sentimens, confiderée en elle-même, ne pouvant nuire & étant au contraire d'une
utilité manifefte à la Société, nul Souverain ne peut la reftreindre avec juftice ou l'oter à fes Sujets. C'eft une production de l'intelligence, & celle-ci n'eft
point fusceptible de Loix civiles: fauf
pour-

pourtant ici, comme en toute chofe, le propre jugement, & la propre perfuafion des Souverains fur ce qui peut nuire ou faire du bien a la Société. Paffons maintenant aux objeſtions qu'on produit contres les Vérités, qui fe trouvent dans cet Ouvrage.

CHAPITRE IV.

Qui contient quelques objeEtions à ce qui a été établi dans les précédens.

Nous n'ignorons pas qu'une Propofition ne peut paffer pour démontrée, à moins que les objeEtions, qu'on allègue contre les preuves données, ne foient folidement refutées, & à moins qu'on n'aît montré la foibleffe des argumens, qu'on allègue pour fon oppofé.

Pour qu'il ne manque donc rien à l'évidence des Vérités, que nous avons établies dans les Ch. précédens, nous allons examiner dans celui-ci tout ce qu'on peut leur objeEter.

IL y a, dit-on, des chofes, qui, fi elles étoient enfeignées, ne manqueroient pas de bouleverfer tout un État. Le droit, par exemple, de fe défaire de

fon

ſon Souverain, & de recouvrir ſa prémière liberté. A quels excès cette perſuaſion n'a-t-elle pas porté les Romains?
& combien de malheurs n'ont pas été
les ſuites d'une auſſi funeſte idée? A
quoi un Etat ne ſera-t-il pas expoſé, ſi
on traite toutes les vertus de chimères?
& à combien de malheurs ne ſera pas
en bute tout le Genre-Humain ſi on
venoit à ſe perſuader, que le *bellum
omnium contra omnes* eſt un principe
vrai; & que les hommes doivent vivre comme les bêtes, ainſi que Mr.
Schmautius l'a enſeigné après plu-
ſieurs autres. Par conſéquent donc ſi
ces dogmes entrainent inévitablement
après ſoi le malheur de la Société, il
eſt, dira-t-on, de néceſſité abſoluë, qu'à
cet égard la liberté de produire ſes Sentimens ſoit limitée; & que ceux, qui
ſont perſuadés de leur fauſſeté, aïent
le droit de brider la liberté de ceux, qui
voudroient les ſoûtenir; puisqu'ils ne
doivent pas moins ſuivre leur perſuaſion, que les autres. Or cela eſt non-
ſeulement vrai pour les Sentimens ra-
portés ci-deſſus; mais il y en a une in-
fi-

finité d'autres, sujets aux mêmes inconveniens, & qui font voir, qu'il eſt
tout-à-fait contraire au bien public de
laiſſer la liberté entière ſur la production de tous les Sentimens.

QUELQUE ſpécieuſe que ſoit l'objection; on va voir, combien elle
manque de force, & combien peu elle eſt propre à prouver ce que je nie.
Prémièrement je nie, que la perſuaſion
de ſe défaire d'un Souverain illégitime
& de recouvrir ſa prémière liberté,
donne occaſion à de plus grands malheurs, que l'idée du contraire. De
quelle félicité jouïra un Etat, dont les
Sujets feront perſuadés, que leur Souverain peut faire tout ce qu'il veut, &
dont ce même Souverain eſt un tyran?
Qu'on liſe les Hiſtoires, & on trouvera, que l'abus de cette fauſſe perſuaſion
n'a pas eu des ſuites moins funeſtes,
que celui de ſon oppoſé. Il ne faut
qu'un grain de bon ſens, pour voir,
combien peu une telle concluſion peut
couler de l'abus d'une vérité. Et peut-
être que cette perſuaſion eſt l'unique
moïen, qui puiſſe contenir un Souverain

rain dans les véritables bornes d'un dés-
potisme falutaire.

J'AVOUE que , fi le monde venoit
à fe perfuader, que toutes les vertus ne
font que des chimères, & qu'on eft né
pour vivre comme les brutes, j'avoue,
dis-je, qu'il n'y auroit pas de meilleur
moïen pour rendre tout le Genre-Humain miférable. Mais dès là, qu'on en
peut déduire cette conféquence, on y
rémedie déjà, & on n'a pas plus befoin
de défendre, qu'on produife les argumens, qui tenderoient à l'affirmer, que
l'on a befoin de défendre, qu'on enfeigne, que le triangle a les proprietés
d'un cercle. Ces Principes, dites-vous,
font faux, & s'ils étoient reçus le Genre-
Humain tomberoit dans les plus grands
défordres. Vous ne l'affirmez fans-dou-
te pas autrement, que fur les preuves folides que vous en avez vuës, ou que
vous pouvez en donner vous-même.
Or, puisque l'évidence eft de votre côté , comment pouvez-vous faire une
fuppofition fi fauffe, puisque l'intelligence ne peut être flechie que par l'é-
vidence. De quel front oferiez-vous

F   fou-

foutenir, que vous pouvez démontrer que deux fois deux font quatre, & fuppofer en même tems que le monde pourroit fe perfuader que deux fois deux font cinq? C'eft une Vérité fimple, direz-vous, mais il y a des Vérités que les Esprits médiocres ne peuvent comprendre. Soit. Les Esprits fublimes en verront l'évidence & ne pourront leur refufer leur affentiment, puisque c'eft un effet néceffaire dont l'évidence eft la caufe. Il fera donc vrai que tous les grands Génies s'accorderont fur les Vérités. Ceci pofé, comment ofet-on s'affurer que tous les grands Hommes enfemble ne pouront empêcher les Esprits foibles & médiocres de fe laiffer duper par le clinquant des Sots; & que ceux-ci auroient plus d'adreffe à fléchir l'intelligence fur des fauffetés, que les autres fur des Vérités palpables? C'eft avoir bien mauvaife opinion de ceux qui excellent par les plus nobles facultés de l'Ame. Ou plûtôt c'eft raifonner bien pitoiablement fur la nature de l'intelligence: ou plûtôt encore c'eft ignorer parfaitement fes attributs.

Je

Je sens bien qu'on m'objectera ici la diversité des opinions : mais prouve-t-elle autre chose si ce n'est que l'évidence n'a pas été developée par l'un des deux partis, & que ce defaut provient presqu'uniquement de ce qu'il n'est pas permis de produire ses Sentimens, sur ce qui fait la foi d'un Peuple, qu'on veut tenir dans l'ignorance.

Il est vrai, que le Souverain, étant persuadé de la fausseté de certains Sentimens, & du tort, que leur production peut faire à son Etat, a tout le droit de l'empêcher, puisqu'il est tenu de suivre sa propre persuasion : mais j'ai déjà fait voir ci-dessus, combien peu cette vérité nuit à la liberté de produire ses Sentimens ; & l'on n'a qu'à se rapeller ce que j'en ai touché, pour s'en convaincre. Mais qu'est-ce qu'il en résultera dans les petites Sociétés, comme dans celle de la Réligion, ou l'un n'est soumis à l'autre, qu'à mesure que la vérité se trouve de son côté. N'en résultera-t-il pas le *bellum omnium contra omnes*, qu'on condamne ? & les deux partis ne pourront-ils pas sou-

F 2

tenir une égale prétenſion ſur ce qui peut brider la liberté des autres ? D'où il réſultera, & même d'une néceſſité très abſoluë, que ce ne ſera que le plus fort, non pas en Esprit, mais en mauvaiſes intrigues &c. qui aura le deſſus. De quelque manière qu'on tourne la médaille, il eſt clair, que cette objection ne prouve rien contre la liberté de produire ſes Sentimens. Tout au plus on pourroit, à force de ſubtiliſer, ou plûtôt à force d'alleguer des exemples, à propos ou non, prouver, que les Souverains peuvent gêner la plume, & la langue, ſur certains Sentimens; propoſition, que nous ne voulons pas diſcuter plus au long ici.

Un argument, qui prouve trop, ne prouve rien, dira-t-on, &, ſelon vous, il faudra donner un libre cours à tout ce que l'esprit peut s'imaginer. Or de là il réſultera néceſſairement, qu'il faudra même permettre les libelles, qui excitent à la revolte; ce qui étant contraire à l'utilité publique, prouve, que la liberté de produire ſes Sentimens doit être limitée.

Pour

Pour repondre à cette objection, qui ne manque pas de faire impreſſion au prémier aſpect, je remarquerai ſeulement, qu'il n'eſt pas prouvé, que des raiſonnemens puiſſent exciter à la revolte, à moins qu'on ne veuille donner ce nom à un ſoulevement contre la tirannie. En ce cas, j'avoue que des libelles peuvent exciter à la revolte, d'abord qu'on tache de prouver, qu'on eſt mal gouverné; que les priviléges ſont foulés aux piés, & que le pays va bientôt changer de maître. J'avoue, dis-je, qu'en ce cas ils peuvent ſervir à la révolte: mais alors on aura la bonté auſſi, d'avouër à ſon tour, qu'on ne veut donc limiter la liberté de produire ſes Sentimens, que pour exercer, ſans risque, le pouvoir despotique, la tirannie. Car il eſt auſſi impoſſible d'exciter à la révolte un Peuple bien gouverné, qu'il eſt impoſſible d'enſeigner l'Algèbre à un boeuf. Ainſi, tant qu'on gouverne bien, ces libelles ſeront ſans effet; d'où il ſuit très naturellement, qu'il ſera fort inutile encore, de les défendre; & même desavantageux, par

F. 3 les

les raiſons , que nous avons données ci-deſſus. Je ne prends pas ici le parti de ces livres pleins de paroles indécentes & injurieuſes , mais de ceux, où on ſe contente de raiſonner naturellement des choſes. Pour remedier aux inconveniens , qui réſultent des libelles , qui méritent ce titre , on n'a qu'à défendre les livres , qui ajoutent aux raiſonnemens , des expreſſions injurieuſes , ou indécentes , ou qui n'en ſont qu'un tiſſû ; & laiſſer les auteurs en paix, dont les productions ne portent pas les caractères de malice &c. Et ſi on y trouvoit ces marques , on pourroit punir les auteurs , non pas pour leurs Sentimens , mais pour ce qu'ils y ont ajouté ſans aucune néceſſité.

Voici une autre objection, que j'ai touchée ailleurs, & dont on fait grand bruit. Si tous les Sujets , dira-t-on, ont également le droit de produire leurs Sentimens ſur ceux des Souverains , il n'y aura point de fin aux libelles, qui, tous pris enſemble, ne manqueront pas de produire un mauvais effet ſur le
gros

gros du peuple, plus accoûtumé à goû-
ter ce qui eſt caché ſous des dehors é-
blouiſſants, que ce qui eſt appuié ſur de
bons raiſonnemens. D'ailleurs, dira-t-
on, ſi les Souverains devoient examiner tout ce qui ſe produiroit pour &
contre leur perſuaſion, il ne leur faudroit pas moins de mille heures dans
un jour, pour ſubvenir à tous ces exa-
mens; qui ſeront encore d'une très
grande inutilité, puiſque les Souverains ne manquent jamais de Conſeillers, pour produire l'effet, qu'on veut
tirer du public. On conclura de là,
que la liberté de produire ſes Sentimens peut, & doit même être limitée. Je réponds, qu'il eſt vrai que,
ſi la liberté d'écrire n'eſt pas limitée,
elle ſert à faire venir une infinité de
libelles au jour, qui, pour la plûpart,
ne valent pas les heures, qu'on perd
à les parcourir. Mais dès là, que ces
libelles ne peuvent jamais cauſer du
mal, pourquoi les interdire? Il eſt
vrai, le Peuple ſe laiſſe ſouvent é-
blouïr, & il peut arriver, qu'il ſoit la
dupe des faux raiſonnemens: mais com-

me

me le faux éclat ne conferve jamais fa
fplendeur, il fera auffi facile de dé-
tromper le Public, qu'il l'a été de
le féduire. D'ailleurs, que ne doit-
on pas faire, pour gagner la confiance du Public, qu'on perd entièrement
par la défenfe de produire fes Sentimens? Notez encore, que la non-pro-
duction ne fuit pas toûjours la défenfe, & que le défir de produire fes idées
eft fi fort, qu'on trouve toûjours
moïen de les répandre. D'où il réfulte, que malgré les rigeurs, qu'on
emploïe pour les fupprimer, ils ne
manquent presque jamais de voir le
jour. On m'a dit, qu'un Théologien
Suiffe, aiant compofé un Ouvrage le
donna à examiner, & que les exa-
minateurs y trouvèrent quelques paffages, qui n'étoient pas de leur goût,
& qu'ils vouloient pour cela que l'auteur raïât. Il obéït à la vérité. Il
ota ces paffages, mais pourfuivit dans
fon Livre les raifonnemens, qui les
précédoient, de manière, que le Lecteur y étoit naturellement amené
de lui-même. Il ajouta, par forme
de

de note, les paſſages, qui avoient é-
té raïés, en avertiſſant le Lecteur,
pourquoi ils ne ſe trouvoient pas dans
leur endroit naturel. On ſaura encore,
que la perſonne, qui m'a communiqué
ce fait, m'a dit en même tems, que
ces paſſages étoient juſtement ce qu'il
y avoit de meilleur dans le Livre.
Qu'on juge après cela de l'utilité de
reſtreindre la liberté ſur la production
des Sentimens.

J'AVOUE qu'il eſt impoſſible, que
les Souverains ſachent tout ce qui ſe
dit ſur leur compte, & ſur leur manière de diriger la volonté de leurs Sujets:
mais il y a des choſes, où il ne leur eſt
pas permis de mépriſer l'avis des moin-
dres des citoiens.

ET comme les choſes, toutes petites
qu'elles puiſſent être dans leur naiſſance, peuvent dévenir de conſéquence
par leurs ſuites, & qu'outre cela on ne
peut pas prévoir l'influence, que certains Sentimens peuvent avoir pour le
bien public; il eſt très naturel, de con-
clurre, qu'il eſt beaucoup plus utile, de laiſſer pleine liberté de produire

F 5   ſes

ſes Sentimens , que de la reſtreindre.

Il ne faut, après cela, que le bon
ſens, pour juger, de quelle force eſt
ce qu'on allègue des conſeillers. Il eſt
vrai, qu'un Souverain en eſt entouré,
& qu'il en a beſoin. Mais à quoi ſe
réduiſent ordinairement les avis de ces
conſeillers? Non pas à ce qui peut ê-
tre d'une ſolide utilité pour l'Etat, dont
ils ſont membres, mais à ce qui peut
contribuer à l'affermiſſement de la mai-
ſon qui gouverne , & à la part qu'ils
ont eux-mêmes au gouvernement ; à
abbaiſſer les autres maiſons regnantes ;
à les dépouiller, & à s'élever ſur ces dé-
pouilles. Voilà à quoi ſe réduit ſouvent
la politique, qui fait la ſeule étude de
ces gens. Le Souverain devra-t-il donc
ſe repoſer ſur leurs avis, pour tout ce
qui peut être utile à l'Etat? Suppoſons
par exemple, qu'un Souverain ſoit très
perſuadé , que le commerce eſt d'une
néceſſité abſoluë pour ſes Etats. Ecoutera-t-il ſes conſeillers , qui n'ont fré-
quenté que quelques Académies bien
ou mal; qui ſavent le Grec & le La-
tin;

tin ; le Droit de la Nature & des Gens, avec tous les tours & detours, dont on l'accompagne ; & qui font au fait de l'intérêt des Princes &c. ? Ecoutera-t-il ces Gens-là, ou bien prêtera-t-il l'oreille à des marchands, qui ont été élevés dans le Négoce, & qui ont eu tout le tems d'aprofondir en quoi confifte ce qui anime le commerce. Décideront-ils, ces Confeil-lers, la queftion agitée par M^r. B A Y-L E, lequel eft plus nuifible à la So-ciété, de l'Athéifme, ou de la Super-ftition ?

M A I S accordons pour un moment, ce que nous pouvons réfufer avec au-tant de droit que de juftice, qu'un Souverain fage & éclairé admette dans fes Confeils, foit par lettres, foit de bouche &c. des Gens de toutes fortes de profeffions, & d'un intérêt différent; des Philofophes, des Théologiens, des Jurisconfultes, des Marchands, des Of-ficiers, enfin des Gens de toute efpèce, & qu'il ait l'art de choifir entre eux les meilleurs; qu'il ait encore celui de les écouter tranquilement fur leurs diffé-

ren-

rentes profeſſions, & enſuite celui de
choiſir le meilleur de leurs avis: s'en-
ſuivra-t-il, qu'il ſera utile de limiter
la liberté de produire ſes Sentimens ?
Je crois, qu'on le peut nier, & prouver la négation. Car en ſuppoſant ce
que nous venons de poſer, il s'enſui-
vra, que tout ce qu'on pourra produire, ſera auſſi-tôt refuté, que mis au
jour; d'autant plus, ſi on a ſoin d'accorder aux grands genies des récom-
penſes pour la part qu'ils ont à ce qui
eſt utile à l'Etat. D'ailleurs ce que les
Sujets peuvent produire n'eſt pas connu d'avance; d'où il réſulte, qu'on ſe
prive par de telles défenſes de bien des
penſées, dont on ne connoît pas la valeur. Il eſt bon de remarquer encore,
que, comme les plus grands hommes
donnent ſouvent à faux, les plus ſots
produiſent quelquefois de bonnes penſées; & que tel, qui ne ſemble pas a-
voir le ſens commun dans certaines affaires, ſera un grand homme dans celles de ſon reſſort. D'où il ſuit, qu'on
ne peut trop ſe mettre au fait de ce
que les Sujets penſent; puiſque, outre
tou-

toutes ces utilités, on en tire encore celle de connoître leurs idées, & par là le pouvoir de les gouverner en conféquence. Ajoutez à cela la défiance des Sujets, que nous avons déjà fait valoir plus d'une fois, & puis la facilité, qu'on trouve, de produire fes Sentimens, malgre la défenfe.

Mais ce qu'il y de plaifant encore, c'eft qu'on fuppofe une contradiction manifefte en fuppofant la liberté de fes Sentimens bridée, & le Souverain éclairé ou entouré de Perfonnes expertes & favantes. Car je demande fi ces Perfonnes qui fervent de Confeillers, &c. peuvent avoir une connoiffance folide des affaires fans avoir étudié profondement ce qui fait l'objet de leurs avis ; & s'ils peuvent avoir fait cette étude fans avoir pefé tout ce qu'on allègue pour & contre. Un Souverain, par exemple, ou fes Confeillers pourront-ils connoître à fond le Droit de la Nature & des Gens fans favoir ce qui fait la foibleffe des argumens de Hobbes, & de tant d'autres, qui ont donné de travers fur certains points

de

de cette Sience. Pourront-ils décider si une paix faite par crainte doit être religieusement observée ou non; ce qu'il faut pour se soulever contre ses Souverains avec droit; & mille autres questions de cette nature? Or Supposons que deux Souverains aient des Sentimens opposés sur la question, si une paix faite par crainte doit être observée, & que chacun d'eux défende à ses Sujets de produire des raisonnemens contraires à ses Sentimens, & qu'il ait le bonheur de toucher à son but, c'est-à-dire d'attirer ses Sujets dans ses Sentimens: & supposons encore, que tous les Souverains de la terre en agissent de même, qu'en arrivera-t-il? Il en arrivera ce qu'on ne voit que trop arriver, que le pouvoir d'un Etat décidera de la justice d'un fait, d'une guerre, d'un carnage, enfin de tout ce que les Armes offrent de plus affreux. On ne le voit pas à la vérité en général, pour ce qui regarde la politique; mais ces injustices sont générales presque dans tous les Etats pour ce qui a raport au culte d'un Dieu. Qu'on pèse après cela la ce qui doit prévaloir, cet intérêt, qu'on prend en faveur des esprits foibles, qui pourroient être féduits, ou bien toutes les utilités, qui refultent de la liberté d'écrire.

Il y a des Perfonnes équitables qui, convaincues de la Vérité que je défends ici, ne peuvent pourtant prendre fur eux-mêmes d'accorder aux Athées la liberté de produire leurs Sentimens ; je ne prétends pas les blamer d'un Zèle qui les aveugle, mais je me contenterai feulement de faire voir la foibleffe de ce qu'ils peuvent alleguer de plus fort.

Selon l'Athée difent-ils on n'eft tenu à aucun devoir: ainfi nous avons le droit de limiter cette liberté, dès que nous le trouvons bon, & que nous pouvons faire valoir notre volonté. Je l'accorde: mais je dis en même tems, que l'Athée eft excufable de fuivre les mouvemens d'une confcience erronée & une fauffe perfuafion: mais que nous ne le fommes pas, dès que nous fuivons des principes, que nous reconnoiffons être faux. D'où il refulte, que n'aïant point de droit de raifonner fur les prin-
ci-

cipes des Athées, nous n'aurons point
de droit auſſi de limiter la liberté des A-
thées ſur la production des Sentimens;
puisque ce droit eſt évidemment contraire à nos principes. Ce qu'ils ajoutent
de malice, d'opiniatreté, d'aveuglement
volontaire eſt entièrement contraire aux
devoirs de l'humanité; & quand même
céla ſeroit auſſi vrai que peu prouvé,
il ne convient pas de leur défendre de
produire leurs idées quand ce ne ſeroit
que parce qu'il eſt utile & néceſſaire
qu'on mette au grand jour la fauſſeté
de leurs argumens, la foibleſſe de leurs
raiſons; qu'on ne donne pas occaſion
aux Esprits foibles de douter de leur
foi; & enfin qu'on n'en donne pas de
légitimes aux Athées mêmes de croire
que la vérité eſt de leur côté.

CHA-

CHAPITRE V.

Des causes qui peuvent porter les Hommes à limiter la production des Sentimens.

PUISQU'IL est également injuste & inutile de restreindre la liberté sur la production de ses Sentimens : on seroit peut-être bien aise de savoir, ce qui a donné lieu à limiter, par des loix assez rigoureuses, une liberté, qui semble être si utile à tout Etat.

SANS perdre le respect dû à tous les Souverains, on me permettra, je l'espère, d'en rechercher la cause, en faveur des preuves, que j'ai données de la liberté de produire ses Sentimens, & en faveur de cette liberté si naturelle aux Républicains, qui les di-

G   stin-

ſtingue par deſſus tous les autres.

Qu'on ne s'attende pas, que j'aille chercher ici midi à quatorze heures, & que je parcoure toute la circonférence avant que d'arriver au centre. La cauſe en eſt trop ſimple & trop naturelle.

Remarquons d'abord que l'homme vicieux, ignorant & mepriſant en même tems les devoirs, auxquels il eſt aſſujetti, eſt par cela même plus porté à anticiper ſur le droit des autres; & qu'un droit oté, ou alteré eſt non-ſeulement un effet mauvais, mais l'effet d'une cauſe qui ne peut qu'être vicieuſe. D'où s'enſuit que le principe qui induit les hommes à limiter la liberté de produire ſes Sentimens, ne peut qu'être un principe très-vicieux.

J'ai dit qu'un Souverain peut avoir la perſuaſion que la production de tel ou tel ſentiment fera du tort à ſon Etat; mais j'ai fait voir en même tems, & ſi je ne me trompe avec aſſez d'évidence, que cette perſuaſion ne ſera qu'une perſuaſion erronée, puiſqu'il eſt prouvé que la production d'un ſentiment, quel qu'il puiſſe être, ne peut
être

être nuisible. Or une persuasion erronée n'étant qu'un jugement faux,
produit par le défaut de connoissances
nécessaires, & ce défaut étant connu
sous le nom d'ignorance, il en résulte
que l'ignorance peut occasionner les at-
teintes qu'on porte à la liberté de produire ses Sentimens. C'est la seule cause
qui soit excusable, puisque tout Être
intelligent est obligé de suivre sa persuasion; & que l'imputation tombe u-
niquement sur la négligence à profiter
des talens que la Nature avoit donnés,
pour acquerir les facultés de raisonner
plus juste & de porter des jugemens
plus sains.

L'Homme est naturellement porté
au désir de commander & de gouverner les autres. Il ne supporte qu'avec
peine l'esclavage, ou un état qui l'oblige à l'obéïssance; & ces deux raisons
lui font chercher tous les moïens, qui
peuvent le rendre indépendant & despotique.

Les Souverains, ou ceux qui gouvernent pour eux, veulent avoir les
bras libres en toutes leurs actions: le

peu-

peuple ne croit pas être obligé à une obéïſſance, illimitée à tous égards; & les différens Colléges prétendent plus ou moins à une certaine indépendance, & à une certaine ſupériorité ſur ceux dont ils ſont les chefs.

LES Théologiens ſont ceux qui ont le plus outré ce droit prétendu & imaginaire. On n'a qu'à lire ce que Mr. BARBEIRAC en dit, pour n'en plus douter *. Et pour ne pas nous arrêter ſur des particularités, il ſuffit de remarquer ici que ce grand Homme attribue ce déſir à une ambition demeſurée.

CEPENDANT il eſt inconteſtable, qu'un Peuple ne peut obéïr à deux Supérieurs à la fois. En tout Etat, quel qu'il ſoit, il ne peut y avoir qu'une Tête à laquelle tous les membres ſont obligés de ſe prêter; que ces membres ſoient ſimples ou compoſés d'autres parties qui les rendent conſidérables; ou que cette Tête le ſoit.

C'EST

---

* Oratio de Magiſtratu, forte peccante, e pulpitis ſacris non traducendo.

C'est donc avec raifon que les Souverains veulent que tous leurs Sujets
foient foumis à leur volonté; mais ce
n'eft pas avec moins de raifon que les
Sujets prétendent que leurs Souverains
fe fervent de cette foumiffion, felon
les règles de l'équité, & qu'ils n'en
abufent pas par un pouvoir, étendu au-
delà des bornes, que préfcrit le bonheur de l'Etat; puisque ce n'eft que
pour obtenir ce but qu'ils en font les
Chefs.

Il eft bon encore de fe rapeller ici
une remarque que plufieurs perfonnes
judicieufes ont faite, favoir qu'on n'auroit pas en général une fi grande repugnance à être gouverné, ou à être
foumis à des Loix ou à des Supérieurs,
fi on étoit convaincu que ces Loix ne
tendent qu'à notre bien, & que ce
n'eft que notre bonheur qu'ont en vuë
ceux, qui ufent du droit de nous gouverner, & qui ont outre cela le pouvoir de nous procurer ce bonheur.

Nul Etre raifonnable (j'excepte
dans tout cet ouvrage, & particulière-
ment ici, les Superftitieux & les ftupi-
des)

des) n'aura de la repugnance à être foumis à la volonté de Dieu & aux Loix qu'il nous a préscrites au moïen de la faculté de penser. Car l'essence de cet Etre emporte une volonté & un pouvoir de nous faire du bien. M'en fautil davantage pour m'en remettre entièrement à sa providence, & pour suivre religieusement les lumières qu'il m'a données? M'en faut-il d'avantage pour l'aimer, pour l'adorer, & pour lui rendre à chaque heure du jour des graces pour ses bienfaits? Croit-on que la nécessité absolue (toute morale qu'elle est) qui porte cet Etre par la perfection de sa nature à ne vouloir, que le bien de ses Créatures, à ne pouvoir absolument desirer autre chose, croit-on que cette nécessité me portera à l'Ingratitude? Bien loin de cela. *Clitandre* est Sage: sa Sagesse le nécessite à s'abstenir de la débauche & à me rendre justice au péril de sa vie. Si sa Sagesse ne l'avoit pas nécessité, elle auroit été moins forte & Clitandre moins Homme de bien, moins Sage, & moi moins obligé à la reconnoissance.

POUR

POUR revenir à notre sujet, remarquons encore que les Souverains sont obligés de diriger la volonté de leurs Sujets vers tout ce qui tend à leur bien, ou à celui de l'Univers en général : de là il est palpable qu'un Souverain devroit être une Personne très éclairée, tant sur ce qui concerne son Etat, que sur ce qui a raport aux autres.

MAIS d'un autre côté il n'est pas moins vrai qu'un Souverain ne peut être parfait. La qualité de gouverner les autres ne le fait pas cesser d'être homme, & ne le rend pas moins susceptibles de défauts. Il seroit à souhaiter même que cette qualité ne les rendit jamais plus sujets à tomber dans des vices, qui ont par là une influence nécessaire sur tout un Peuple; & quelquefois sur une grande partie de l'Univers: comme l'est par exemple une ambition demesurée, un penchant aveugle pour sa Réligion &c.

LES Souverains ne pouvant donc se passer d'être hommes; & de n'avoir qu'une connoissance limitée sur ce qu'ils devroient connoître à fond, il est de

G 4   né-

néceſſité abſolue qu'ils ſuppléent à ce
qui leur manque, par la connoiſſance
que des Perſonnes éclairées leur peuvent donner.   Ceci a donné lieu aux
Parlements, & aux différens Colléges
qui ſe trouvent dans un Etat; auxquels
les Souverains commettent l'adminiſtra-
tion de ce qui eſt de leur departement;
& quoiqu'ils donnent ſouvent un pouvoir aſſez étendu à ces différens Colléges, il eſt pourtant inconteſtable que les
membres de ces Colléges ne ſont que
les Adminiſtrateurs & les Exécuteurs
de la volonté du Souverain, qui en de-
meure toujours l'ame, & à qui on ne
peut jamais oter le pouvoir de juger en
dernier reſſort, quelques priviléges qu'il
leur aît accordés.   Ce n'eſt auſſi que
pour cette raiſon que le Corps Ecclé-
ſiaſtique jouït de certains droits, &
qu'un Père de famille a un pouvoir aſſez illimité ſur ſes Enfans.

Si les Souverains étoient toûjours
aſſez éclairés pour ne choiſir que les
meilleurs d'entre leurs ſujets, & ſi le
maniement des affaires n'étoit jamais
confié qu'à des Perſonnes, qui en ſont

au fait , & dont la capacité fut toujours en raifon de l'objet de leurs foins,
il n'eft pas douteux que les peuples
ne jouïffent entièrement d'une vie tran-
quile & douce, & qu'il n'y eut toujours
la plus parfaite harmonie entre ceux
qui gouvernent & ceux qui font gouvernés; mais malheureufement il n'en
eft pas ainfi pour l'ordinaire. Un Souverain, foit par un défaut de discerne-
ment, foit par une éducation molle &
peu digne d'un rang fi facré, ne connoit ceux qui l'approchent que fur des
portraits flattés , & ne leur confie le
foin de fon Etat que fur le raport
d'humeur & d'inclinations ; & fouvent
l'adreffe d'un favori, qui a le don de
s'infinuer par des condefcendances hon-
teufes, & cet art de flatter avec agré-
ment, fait le feul mérite de celui, qui
gouverne au nom du Roi. La facilité de s'introduire auprès des Dames
n'eft pas un petit pas pour les prémiers
emplois. Lucullus n'en a pas voulu
emploïer d'autre pour obtenir le com-
mandement de l'Armée contre Mithri-
dates,

Puisque le monde est fait ainsi, & que ceux qui gouvernent pour les Souverains & en leur nom, sont souvent des Personnes peu capables, vicieuses, & que les dignités & les rangs ne font que rendre moins propres encore à leur devoir, il en résulte que le peuple étant mal conduit, mal traité, & enfin tirannisé, ne regarde qu'avec mepris, & horreur ceux que le Souverain emploie pour le bien de l'Etat: ce qui donnant occasion à la défiance, à la haine, &c. ils ne se regardent mutuellement que comme Ennemis, & ne cherchent pour cette raison qu'à se nuire, font d'un Etat heureux un Etat deplorable, qui ne peut que se perdre, comme un Corps dont les parties, au lieu d'être à l'unisson, se détruisent mutuellement.

Il n'est plus difficile après cela de voir, ce qui donne lieu à limiter la production des Sentimens. De même qu'un mauvais Administrateur craint qu'on n'examine sa conduite, & qu'on ne découvre son inhabileté, & le mauvais usage du pouvoir qu'on lui a donné ; ain-

ainſi les Chefs des différens Colléges craignent qu'enfin le Souverain n'ouvre les yeux, & ne voie qu'à la faveur de ſa facilité ces Gens ne font que l'entrainer dans un goufre, qui lui ſera tot ou tard des plus funeſtes; & les Souverains craignent à leur tour qu'enfin le Peuple ne trouve des raiſons légitimes pour ſe fouſtraire à une obéïſſance, dont ils ont eux-mêmes les prémiers rompu les Liens.

ON voit encore que ceux qui aprochent des Princes, cherchant à s'inſinuer petit à petit & à monter au degré qu'ils embitionnent, ont ſoin de leur inſpirer dès l'Enfance des idées, dont ils ne ſe defont jamais, & dont on croit pouvoir tirer de l'avantage dans la ſuite. Ces idées ne manquent presque jamais d'opérer, & de produire les funeſtes effets qui ont été médités, à moins qu'ils n'ouvrent les yeux, & qu'ils n'étudient eux-mêmes ce qui fait le bien d'un Etat.

PAR conféquent il eſt clair qu'en accordant une pleine liberté de produire ſes Sentimens on s'expoſe à ſe voir
con-

convaincu d'ignorance, de malice, &
d'autres vices pareils, & que les Souverains ou tels autres qui gouvernent
n'auroient aucun intérêt d'en interdire
la production, s'ils étoient vertueux.

Il est bien vrai que des Souverains,
ne pouvant être parfaits, font par cela même sujets à avoir des défauts ;
puisqu'un manque de perfection emporte la nécessité de quelque défaut :
il est vrai encore qu'en donnant un
libre cours à la production des Sentimens, bien des esprits d'une certaine
espèce ne manqueroient pas, soit par
malice, soit par envie, ou soit par un
autre motif, d'exposer au grand jour les
défauts des Souverains ; & que ces at-
teintes à la Majesté ne pourroient que
diminuer leur autorité dans l'esprit de
leurs Sujets. Je l'avoue : mais d'un autre
côté, pour peu que les Souverains aïent
de bonnes qualités, qui surpassent les
mauvaises, ils trouveroient assez de Sujets équitables & voués au bien de l'E-
tat, qui par un exposé naturel des bonnes qualités du Prince, mises en op-
position avec ses défauts, pourroient
pré-

prévenir les funeftes effets qu'on ap-
préhenderoit d'un autre côté. Pour
qu'un Enfant haïffe fon Père, il faut
que ce Père y donne lieu. Il en eft
de même des Supérieurs. Les Sujets
font naturellement portés au refpect
envers leur Prince. S'ils le perdent,
c'eft qu'il ne peut fe le conferver. Le
Roi de Pruffe par exemple n'a pas befoin de craindre que fes Sujets ceffent
de l'aimer & de le refpecter.

D'AILLEURS cette crainte qu'auroient les Souverains de voir un jour
leurs défauts dévoilés peut leur être
d'une très grande utilité, puisque cela les portera à être plus en garde
contre les vices, & à fe rendre plus
vertueux: conféquence qui produiroit
encore une double utilité, puisque par
là ces Souverains fe rendroient plus
propres au gouvernement, & qu'ils
donneroient moins de prife aux Esprits
cauftiques.

IL paroit donc que c'eft l'ignorance, & la crainte de voir fes defauts dé-
couverts, & par une fuite naturelle
l'appréhenfion de ne pouvoir plus agir
des-

despotiquement , puis enfin un penchant à se livrer aux illusions de son Coeur, qui font les principaux motifs, qui donnent lieu à limiter la liberté sur la production des Sentimens.

Ajoutons y encore une autre cause. La paresse. On ne connoît plus ce tems des Perses , où on voioit les jeunes gens les plus aisés, & les plus considérables élevés d'une manière à les affermir & les aguerrir contre les fatigues tant du corps que de l'esprit. Une éducation molle & effeminée est regardée comme l'apanage des Grands , & le travail n'est reservé qu'à ce qu'on nomme le petit Peuple.

De là on voit ces Personnes , connues sous le nom de Gens de qualité, de Gens du bel air , de grands Seigneurs, &c. tout-à-fait inhabiles aux emplois dont ils font chargés : & d'autant moins propres au maniement des plus petites affaires , qu'ils font ou qu'ils ont été destinés aux plus grandes. Le Roi, dont je viens de parler est peut-être le seul qui fasse exception à cette ré-

règle qui n'eſt que trop générale ; &
la différence de ce Monarque à presque
tous les autres Souverains en fait voir
les heureux fruits par l'accroiſſement
ſurprenant de ſon pouvoir.

Sɪ nous conſidérons à préſent ce que
doit néceſſairement produire cette pareſſe, on verra aiſément que ceux que
la naiſſance, les brigues ou les faveurs
ont fait monter à un certain rang,
n'aïant pas le courage de s'en rendre
dignes, ou manquant de géneroſité au
point que de ne le pouvoir ceder à des
Perſonnes qui en ſont plus capables ; &
craignant outre cela, par un amour-
propre naturel, de perdre l'eſtime &
le reſpeĉt que le vulgaire attache au
rang qu'ils occupent, on verra, dis-
je, aiſément que ces perſonnages ſont
obligés à faciliter tous les moïens qui
peuvent affermir une prevention aveugle en leur faveur, & à rendre diffi-
ciles tous ceux qui pouroient la faire
chanceler ou la ruiner tout-à-fait. Or
pour toucher à ce but il n'y a pas de
meilleur moïen que de limiter la pro-
duĉtion des Sentimens ; parce que d'un

côté

côté cela les met à l'abri de la mortifi-
fication de voir leurs défauts mis au
grand jour , & que d'un autre côté
il se trouve toujours assez d'Adulateurs
pour leur attribuer des Vertus qu'ils
devroient avoir & que malheureuse-
ment ils n'ont pas.

SI on veut prendre la peine de reflechir sur tout ce que je viens de dire
ici , & à l'intérêt que les Ecclésiastiques peuvent avoir & qu'ils prennent
à la limitation sur la liberté de produire ses Sentimens, on se persuadera sans
difficulté que l'ignorance, l'ambition &
la paresse en sont les principaux motifs.

RAMASSONS maintenant tout ce
que nous avons dit dans ce Chapitre,
& en le retouchant voïons quelles vérités en résulteront.

IL n'est point douteux, qu'il faut,
pour prêter une obéïssance libre, &
sans murmure, la persuasion, qu'on
est bien gouverné , & que ceux,
à qui on en a commis le soin, ne
cherchent que notre bien, sans vouloir nous duper. Il est donc très nécessaire , que ceux, qui sont chargés
du

du soin de goùverner un Etat, une Société &c. tachent d'inspirer aux Sujets cette persuasion, sans laquelle ils
ne pourront attendre que haine, qu'a-
nimosité, que murmure, & enfin qu'une
révolte.   Or quel moïen d'obtenir ces
deux effets, quand on n'est pas en état
de faire voir la droiture de sa conduite,
& la nécessité, où on se trouve, d'a-
gir de telle manière, & non pas d'u-
ne autre, & qu'on a le droit d'obli-
ger les autres, à suivre sa volonté, &
de leur faire sentir son pouvoir? Il est
tout naturel, que, pour parvenir à son
but, on éloigne tout ce qui peut y porter
obstacle.   Cette vérité est toute simple.
Et quand il est question de gouverner, il ne faut pas seulement en avoir
le pouvoir, mais il est convenable encore, que ceux, qui doivent suivre le
bon plaisir des autres, soient persua-
dés, qu'ils sont bien gouvernés, selon
les Loix de la justice; par des personnes
nes dignes de tenir les rênes, qu'ils
ont entre les mains.   Or le moïen, si
le public a la liberté de prouver, qu'on
est mal gouverné; de faire voir, que

H　　　ceux,

ceux, qui font au timon des affaires,
n'y entendent goute, ou cherchent plûtôt leur intérêt propre, que celui de la
Société ; fi quelque esprit turbulent
peut, au prémier mouvement de fon
caprice, faire voir au Peuple, & au
Souverain, qu'ils font leurrés par des
Gens, qui méritent plûtôt leur indignation, que leurs faveurs: le moïen, dis-
je, quand on est entraîné par ce défir
de despotisme fur les autres; quand on
veut demeurer en place, ou en poffef-
fion des emplois, que la naiffance, le
hazard, ou les intrigues, nous ont fait
obtenir, préférablement à d'autres,
plus dignes de les occuper, & plus re-
fervés pour les briguer; & que la pareffe nous empêche, de nous en rendre
capables; quel moïen de gagner la confiance des Sujets, fi néceffaire, pour
être à l'abri, á moins, que la liberté de produire fes Sentimens fur nos
facultés, fur nos défauts, & fur nos
actions, ne foit limitée? C'est alors,
& alors feulement, qu'on peut faire
valoir fans crainte le pouvoir, qu'on
a ufurpé fur les esprits foibles & vul-
gai-

gaires; & leur faire croire, que même les traits mortels, qu'on leur porte, font autant d'opérations nécessaires à leur salut. Cela est si vrai, qu'on voit cette liberté d'autant plus limitée, que le gouvernement approche d'avantage du tirannique, & qu'il est moins fondé sur le droit, que sur la puissance. " Il y a-t-il „ rien de plus tyrannique & de plus abo-„ minable, que les Tribunaux de l'in-„ quisition, qui à la honte de la Re-„ ligion & de l'humanité même livrent „ au bras féculier des Innocens con-„ damnés par des Scelerats, pendant „ qu'il y a indulgence plénière pour „ toute forte de crimes, devant des „ Juges de cet ordre, autorisés par „ les Loix de divers Pays * ". Se fou-tiendroient-ils ces Tribunaux, si le Papisme n'avoit foin de limiter la production des idées fur leurs fourberies. Mais ces raisons ont bien plus de force encore, quand on n'a ni le droit, ni la puissance d'affujetir les autres, &

que

---

* BARB. *Disc. fur la perm. des Loix.*

H 2

que cependant l'on y prétend. Car alors
l'obéïſſance, n'étant fondée que ſur la capacité , & ſur la ſupériorité en bonnes
qualités de ceux, qui veulent gouverner , il eſt clair que ce despotisme
croule d'abord qu'on montre que
ceux, qui s'en prévalent, en ſont également indignes, & incapables; ou que
l'on fait voir, que les raiſons, qui in-
duiſent les autres à l'obéïſſance, ſont
auſſi erronées, que peu fondées.

Ne nous étonnons donc pas du ſoin,
que prennent les Adminiſtrateurs des
Egliſes , de faire limiter la liberté de
produire ſes Sentimens. Les motifs, que
nous en venons d'indiquer , ſont ſi juſtes , & ſi forts, qu'on doit avoir auſſi
peu de bon ſens, que de jugement, pour
n'en pas voir la néceſſité. Mais ce dont
on pourroit ſe plaindre eſt, que ces Adminiſtrateurs n'avouent pas ces motifs,
& en étalent d'autres , qui ne peuvent
manquer d'être tournés en ridicule. Je
les voudrois auſſi ſincères, que je le ſuis
dans cet Ouvrage; n'aiant d'autre but,
que l'utilité publique, & ne voulant,
en aucune manière jouër ici les véri-
ta-

tables Théologiens, que j'eſtime autant,
qu'on doit, & qu'on peut eſtimer des
ſavans, qui ſe ſont ſacrifiés à la plus
utile, & la plus neceſſaire des connoiſ-
ſances humaines. Je ſerai charmé, ſi
quelqu'un me convainc ici d'erreur, &
ſi on me fait voir la fauſſeté de mes
conjectures, en m'indiquant les véritables cauſes, pour lesquelles on limite
la liberté. Je n'en demande pas tant.
Je ſerai content, ſi l'on me fait voir,
que d'autres motifs ſont poſſibles.

MAIS ſi tels ſont les motifs, & les
cauſes, qui font qu'on limite la liberté de produire ſes Sentimens: quel
reſpect peuvent avoir des perſonnes
ſenſées pour ceux, qui abuſent ainſi de leur pouvoir ? Quel amour,
quelle obéïſſance, pourront - ils leur
témoigner : & de quel oeil les devront - ils regarder ? Que le Lecteur
en juge. Content d'avoir indiqué la
ſource, d'où peut découler cet achar-
nement contre la liberté de produire
ſes Sentimens, je remarquerai ſeulement, que ces motifs font voir, que
leur effet ne peut être que très nuiſible

à

à toute Société , à tout le Genre-Humain , & à la recherche de la vérité,
qui nous doit être fi chère.

JE ne veux pas nier, que le bien de
l'Etat ne femble demander quelquefois , que cette liberté foit limitée. Il
fe peut bien, que l'abus, qu'on en fait,
ait fouvent donné lieu à le faire. Quels
libelles ne voit-on pas, par exemple,
répandus dans une République, & quels
discours ne feme-t-on pas, tant contre
fes propres Souverains, que contre les
Puiffances étrangères ? Discours, qui
peuvent fervir, fi non de caufes légitimes, du moins de prétextes, à une
rupture ouverte, comme cela s'eft vû
plus d'une fois; quoiqu'il foit de la justice, & de la grandeur d'ame, de mé-
prifer ces productions de quelques é-
cervelés, comme on le prouve fort
bien par le Droit de la Nature & des
Gens. Mais ces défenfes rigoureufes
ont-elles l'effet défiré ? & dans les pays,
où la plume eft le moins libre, ne voit-
on pas des productions, qui ne pourroient être plus hardies, quand même
on y jouïroit de la liberté la plus é-
ten-

tenduë? Il fe peut, dis-je, que les Souverains fe font cru quelquefois obligés de reftreindre la liberté de produire fes Sentimens. Mais, malgré tout
cela, à peine puis-je me perfuader, que
cet abus foit la véritable caufe, qui la
fait limiter ; & je ferois plus porté à
croire, que ceux, qui veulent la brider, fe fervent de ce prétexte pour
toucher à leur but. Car enfin, pour
parler naturellement, fi cet abus en é-
toit la véritable caufe, il ne peut confifter, que dans les expreffions indécentes, dont la production de fes Sentimens eft accompagnée; puisque la recherche fur ce qui eft jufte ou inju-
fte, faite avec le refpect qu'on doit
à ceux de qui on parle, ne peut jamais leur nuire, de quelque nature que
foient les faits, qu'on examine. Puisque l'abus ne peut donc confifter, que
dans les termes immoderés, & qui
n'ont aucune liaifon avec la recherche
du vrai & du faux, il fuffiroit de punir plus rigoureufement ceux, qui fe
laiffent entraîner par une paffion aveugle, jusqu'au point de s'oublier ainfi,

H 4 fans

fans faire tomber fes reffentimens fur les auteurs en général. Il eft clair, que ceux, qui fe fervent de ces expreffions immoderées, ne peuvent par là avoir l'utilité publique pour but, & que ceux, qui produifent fimplement leurs idées, n'en peuvent avoir d'autres, du moins autant, qu'il nous eft permis de juger des actions morales. Car la vanité, l'envie de briller, une certaine ambition littéraire, peuvent fort bien y avoir leur petite part. Mais fi ces défauts pouvoient condamner les auteurs, que d'écrivains ne fubiroient pas un fuplice atroce! Ce qui me fonde à penfer, que l'abus de produire fes Sentimens n'eft qu'un prétexte, pour en limiter la liberté, c'eft, que les Sentimens fur la religion ne font pas fujets aux mêmes inconveniens, & que cependant on ne bride pas moins cette liberté à leur égard, qu'envers ceux, qui n'ont que la politique pour objet. Si on me forçoit d'en donner la raifon avec la franchife ordinaire à une perfonne, qui regarde cette qualité comme une des pré-

prémières vertus, je l'avoue, je n'en donnerois point d'autre, que celle, qu'un auteur Hollandois fait valoir fur la défenfe des fpectacles en Hollande, & fur-tout de la comédie à Amfterdam. Autrefois, dit cet Auteur, fi j'en dois croire un ami, qui me l'a écrit, il n'y avoit point de Comédies dans notre Province, & le tout aboutiffoit à certaines Sociétés, qui repréfentoient, de tems en tems, quelque Pièce, où les moeurs étoient expofées au naturel, & où on prenoit la liberté, de jouër les grands défauts. Ces Pièces, dit-il, n'ont pas peu contribué à faire voir au Peuple ce qu'il étoit, & à lui infpirer cette averfion pour la monarchie; qui a été d'un excellent fecours dans le foulèvement contre le Roi d'Espagne. Aparemment, dit-il, l'on craint d'expofer aujourd'hui la Vérité au Public, & l'on veut s'abandonner à tout, fans être joué; puisque les Eccléfiaftiques ont obtenu, qu'on ne jouât plus dans un tems où on auroit pu faire repréfenter des Pièces, capables d'infpirer le courage, & d'augmenter l'esprit Républicain

dans

dans les Spectateurs. Ce même Ami,
Hollandois de naiffance, & qui m'é-
crivoit fur le Sujet, que je traite pré-
fentement, ajoute, entre autres, dans
fa Lettre: qui niera, que les excellen-
lentes productions de Mr. VAN HAA-
REN n'ont contribué à l'heureux évé-
nement, qui a redonné à ma patrie
fon ancienne Conftitution, & n'y a
infenfiblement préparé les esprits? Car
s'il eft décidé (c'eft ainfi, qu'il conti-
nuë), que le défaut dans le Gouvernement ait porté le Peuple à recourir
au Prince d'Orange leur unique appui, il n'eft pas moins décidé, que
l'indication de ce défaut y a prêté un
puiffant motif. Voilà les heureux effets, qu'on doit attendre de la liberté
de produire fes Sentimens, tant qu'elle eft menagée, comme cet excellent
Auteur l'a fait, & comme chacun doit
le faire. Tant qu'un Souverain gouverne fon Peuple felon l'équité ; tant
que la vérité eft de notre côté : nous
n'avons pas befoin de craindre. Les
affauts ne feront qu'en pure perte pour
ceux, qui hazardent de nous attaquer.

QU'ON

Qu'on avoue donc franchement; & cet aveu décidera entre l'homme de bien, & l'homme prévenu; que si on veut oter aux autres la liberté de produire ses Sentimens, ce ne peut être, que par un motif de tirannie, de paresse, ou de crainte d'être convaincu de mauvaise foi, ou d'ignorance. Mais si tel est le motif, qui porte les uns, à vouloir limiter, ou oter aux autres, la liberté de produire ses Sentimens, à quoi ne seront point obligés ceux, que l'amour de la Vérité inspire, & qui ne demandent qu'à dèsabuser le Public? Devront-ils se soûmettre aveuglement à l'injuste prétension de gens fainéans & impérieux? Devront-ils accepter le joug, qu'on leur veut imposer; & ne leur sera-t-il pas permis, de se cabrer contre les injustices, & de se défendre contre les tentatives, qu'on fait, pour les rendre odieux? Qui des deux partis merite ici d'être regardé comme des monstres de la Société?

En effet, toutes ces déclamations, dont les Théologiens se servent, pour exciter le vulgaire contre les Athées, font-

font-elles voir autre chofe, qu'une A-
me baſſe & cruelle? Elles ne peuvent
qu'inſpirer la haine, la cruauté, & ſap-
per les fondemens de ce qu'on veut défendre avec tant de feu.

Ce n'eſt donc qu'un mauvais principe, qui engage les hommes, à porter atteinte à la liberté de produire ſes
Sentimens. Le bien de la Société ne
le demande pas. On n'y a point de
droit, & on le fait ſans fruit. Voilà, je crois, tout ce qu'il faut pour
prouver, qu'on doit laiſſer jouïr un
chacun de la liberté de produire ſes
Sentimens.

F I N